ARLES
antique

Bouches-du-Rhône

*Acrotère en forme de masque tragique.
Détail du couvercle de sarcophage découvert au cours de la fouille de la nécropole
du cirque en 1985. IIIe siècle (?). Marbre.
Musée de l'Arles Antique.*

Les auteurs

Claude SINTÈS :

Le site
et l'histoire de la ville.

Les spectacles
à l'époque romaine.

Les sites non visibles.

Les monuments médiévaux.

**Jean-Maurice
ROUQUETTE :**

L'histoire
des découvertes
archéologiques.

Les monuments
d'époque augustéenne.

Les monuments
d'époque flavienne.

Les autres sites
et monuments.

La présentation
de cet ouvrage
a été coordonnée
par M.-Th. Baudry.

Maquette de Marc Blais.

Photographies
de Delgado :
pp. 9, 23, 26, 32, 45, 50,
51, 53, 64, 75, 81, 82,
83, 84.
et de Michel LACANAUD,
sauf mention
particulière.

GUIDES ARCHÉOLOGIQUES DE LA FRANCE

Jean-Maurice ROUQUETTE
Claude SINTÈS

ARLES
antique

Monuments et sites

IMPRIMERIE NATIONALE
Éditions

MINISTÈRE DE LA CULTURE, DE LA COMMUNICATION,
DES GRANDS TRAVAUX ET DU BICENTENAIRE
Direction du Patrimoine - Sous-Direction de l'Archéologie

Sommaire

Lampe à huile décorée d'une représentation de gladiateur mourant. Musée de l'Arles Antique.

Avertissement

L a ville d'Arles va se doter bientôt d'un Institut de Recherche sur la Provence Antique qui regroupera les collections archéologiques actuellement dispersées dans les musées d'Art Païen, d'Art Chrétien, aux Alyscamps et au Théâtre Antique ou qui sont conservées dans les réserves du musée Réattu. Cet établissement devant être ouvert au public en 1991, il nous a paru peu raisonnable de proposer, comme cela a pu se faire dans d'autres guides, une visite salle par salle des musées d'archéologie de la ville puisque celle-ci deviendra obsolète d'ici peu.

Le lecteur trouvera donc dans cet ouvrage la traditionnelle description de monuments ou de sites accompagnée de la mention des principales découvertes qui y furent faites.

Pour plus de commodité, les objets qui illustrent le texte sont attribués au « musée de l'Arles Antique » quelle que soit leur localisation actuelle.

Pour une meilleure intelligence du texte un certain nombre de termes techniques ont été définis à la fin de l'ouvrage.

Le Jardin d'Hiver (1976) :
fragment de coupe orné d'un personnage
debout près de l'encolure d'un cheval;
VIᵉ siècle avant J.-C.,
musée de l'Arles Antique.

Le site
et l'histoire
de la ville

LE SITE

C'est peut-être depuis la tour nord de l'amphithéâtre que le visiteur pourra saisir le mieux la diversité et la beauté du paysage arlésien; là, sous ses yeux, se développent les trois régions naturelles qui donnent à la terre de ce pays son aspect unique. Vers le sud-ouest, la Camargue, grande plaine quaternaire formée par les alluvions du Rhône, dont les étendues basses et marécageuses sont coupées d'étangs, de canaux et de résurgences salines appelées *sansouiro;* vers l'est, la Crau, le *campus lapideus* (« le champ de pierres ») des Anciens, plateau caillouteux, aride, maigrement animé par quelques taillis, de la garrigue, pays traditionnel de l'élevage du mouton; au nord-est, les Alpilles, chaîne calcaire dont les carrières alimentent depuis de nombreux siècles les bâtisseurs arlésiens. Ce petit massif se prolonge par les buttes de Montmajour, de la montagne des Cordes, d'Arles enfin, le premier rocher rencontré lorsqu'on remonte le fleuve.

D'une hauteur de 25 m, le substrat de calcaire hauterivien s'affaisse régulièrement vers le Rhône qui, dévié, décrit alors une large courbe avant de prendre sa course vers la mer. C'est sur cette éminence que l'habitat ancien est venu se fixer, occupant peu à peu le sommet de la colline et son flanc méridional.

Le site, assez bien défendu par sa hauteur même et par la présence du fleuve et des marécages au sud et à l'est, est fortement avantagé par son rôle de carrefour. La route terrestre Italie-Espagne, qui franchit traditionnellement le Rhône

Photographie aérienne : les arènes et le théâtre antique.
(Photographie : Chéné, C.N.R.S, Centre Camille-Jullian).

au pied de la colline d'Arles (là où les eaux deviennent plus calmes et où un pont a pu être facilement établi), recoupe la voie fluviale, maritime et palustre qui met en communication la Méditerranée, le cœur de la Gaule et la région proche.

La situation géographique de la ville et son développement économique favoriseront la création d'un port qui, florissant dès l'Antiquité, ne mourra qu'au XIXᵉ siècle lorsque le chemin de fer aura rendu caducs les transports fluviaux qui n'étaient plus adaptés.

LES ORIGINES : L'HABITAT PRÉROMAIN

L'Arles préromaine était pressentie par les historiens qui, s'appuyant sur les rares textes des auteurs anciens, pensaient qu'une agglomération avait été implantée sur le rocher de l'Hauture dès le vɪᵉ siècle avant notre ère. Cet *emporion* (comptoir commercial grec) créé par les Phocéens ou par les Massaliottes serait la Théliné dont le nom nous est parvenu grâce à l'écrivain romain Festus Avienus [1].

L'absence de témoignages archéologiques (jusqu'aux années 1950 quelques rares découvertes avaient été signalées) laissait pourtant dans l'ombre la plupart des aspects topographiques et chronologiques. Seules des remarques générales avaient pu être faites sur l'Arles d'avant

Situation des principaux peuples protohistoriques avant la conquête romaine

la colonisation romaine permettant de conclure qu'il existait un habitat indigène fortement hellénisé, un lieu d'échange commercial intense sinon privilégié avec Marseille, et que c'était une ville puissante à l'économie forte et à l'industrie bien rôdée : César, aux prises avec Pompée [2], trouvera à Arles des chantiers suffisamment équipés et des ouvriers assez adroits pour construire douze bateaux de guerre en un délai très bref. Strabon (géographe grec, vers 58 avant J.-C. et 21-25 après J.-C.), quant à lui, compare Narbonne à Arelate, « ville et centre commercial important ».

Un énorme bond en avant va être fait après la guerre : l'utilisation de méthodes scientifiques performantes et la multiplication des découvertes vont en effet permettre de mieux connaître les métamorphoses de la ville depuis ses origines. Mais ce n'est qu'à partir de 1975 que l'on

---

1. Festus Avienus : proconsul d'Afrique en 366, auteur de plusieurs poèmes dont un périple, les *Ora Maritima*, où il décrit le littoral méditerranéen de Gibraltar à Marseille, en s'inspirant de sources anciennes, peut-être du VIe siècle avant J.-C.
2. Pompée : Cnaeus Pompeius Magnus, homme d'état romain (106-47 avant J.-C.).

a été à même de mieux comprendre, grâce au gisement du Jardin d'Hiver (n° 17), ce qu'a été la période protohistorique arlésienne.

Les vestiges sous le parc à voitures du boulevard des Lices ne sont pas actuellement visitables mais, dès la fin des travaux archéologiques, le site sera mis en valeur et ouvert au public.

À la suite des recherches qu'il mène depuis 1983, Patrice Arcelin a proposé une première esquisse concernant l'évolution de ce comptoir. Sur l'îlot rocheux un peuplement, dont la composante indigène est quasi exclusive, est attesté dès le début du VIe siècle avant notre ère.

Dès le deuxième quart de ce siècle, la céramique montre qu'un échange commercial, timide d'abord, puis plus soutenu, existe entre la population locale et les marchands qui remontent la basse vallée du Rhône. À partir du milieu du Ve siècle avant J.-C., l'habitat de la première Arelate franchit le sommet de la butte pour en occuper le flanc sud.

L'aménagement en terrasses, le caractère urbain marqué du site à la suite de restructurations topographiques (îlots et rues distribués en trame régulière) ainsi que l'intensification des échanges économiques comme le prouve l'abondance de la céramique découverte entre Arles et Marseille et plus généralement entre Arles et le monde méditerranéen semblent indiquer que cette ville était devenue un *emporion*. Ce comptoir fondé en même temps que d'autres dans le sud de la Gaule, témoigne du mouvement de conquête économique et de la prééminence prise par les nouveaux venus.

Un siècle plus tard, pourtant, une refonte de l'urbanisme est sensible, principalement sur le site du Jardin d'Hiver où des surfaces plus

Le Jardin d'Hiver (1984) : pièces d'habitation de l'angle sud-ouest
de l'îlot 1; IVe siècle av. J.-C. (Photographie : P. Arcelin).

étendues que partout ailleurs ont pu être observées et explorées. Le mélange des traits méditerranéens (organisation urbaine) et des caractères indigènes (organisation intérieure de l'habitat) a été mis en lumière par les travaux récents. De la même manière, la céramique souligne la vitalité de la production locale. Ces observations suggèrent bien évidemment une domination ethnique indigène renouvelée, qui prendra désormais le dessus jusqu'au IIe siècle avant notre ère.

« Il serait, écrit M. Arcelin, tentant de superposer ces indications du terrain à celles tirées des vers d'Avienus : durant le IVe siècle, à l'emprise grecque antérieure, se substituerait (selon des modalités à préciser) une plus forte intervention du substrat indigène qui a pu commencer à s'accroître sensiblement vers la fin de la période précédente. Ces couches sociales et culturelles participeraient activement à la vie économique d'un comptoir devenu au fil des décennies un centre urbain développé, avec ses ateliers navals et diverses sortes d'artisanat productif. L'importance du contexte indigène régional, la faiblesse démographique de la petite colonie grecque, ont pu entraîner, *de facto*, la formation d'une agglomération mixte. Une majorité d'indigènes imposerait la résurrection de l'ancien nom et la nouvelle Arelate se rapprocherait désormais davantage d'un centre portuaire comme Lattes (près de Montpellier) que du comptoir voisin d'Espeyran. Quoi qu'il en soit, il est évident à travers les formes du commerce, celles aussi des implantations architecturales et les connotations méditerranéennes perceptibles dans les modes de vie, que la dominante politique et culturelle grecque demeure, à Arles, parfaitement présente jusqu'à la fondation de la colonie romaine » [3].

Auguste. Aureus, 27 av. J.-C.
Atelier oriental incertain
(Cabinet des Médailles :
Service photographique
de la Bibliothèque nationale).

LA FONDATION DE LA COLONIE

César, qui avait trouvé un appui décisif auprès des Arlésiens, va très vite comprendre l'intérêt stratégique du site en tête du delta du Rhône. C'est donc peu après sa victoire en 46 avant J.-C. qu'il déduira une colonie de droit romain avec les vétérans de la VIe légion conduits par Tiberius Claudius Nero, colonie à laquelle il rattachera la majeure partie du vaste territoire marseillais. Ce geste, inspiré par la reconnaissance mais aussi par le souci d'affaiblir considérablement Marseille qui, pour son malheur, avait choisi le parti de Pompée, sera à l'origine de la prospérité arlésienne.

LE PREMIER PLAN D'URBANISME

Arelate, devenue sous Octave et en hommage au grand stratège *Colonia Julia Paterna Arelate Sextanorum*, va connaître un premier plan d'urbanisme conçu peut-être dès sa fondation mais que toutes les

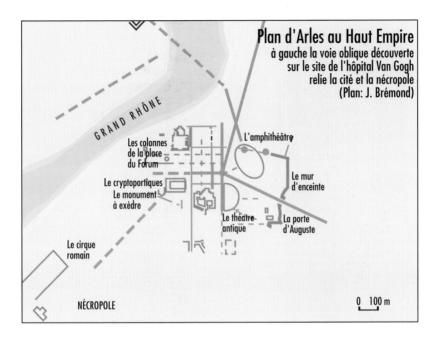

Plan d'Arles au Haut Empire
à gauche la voie oblique découverte
sur le site de l'hôpital Van Gogh
relie la cité et la nécropole
(Plan: J. Brémond)

GRAND RHÔNE

Les colonnes
de la place
du Forum

Le cryptoportiques
Le monument
à exèdre

Le cirque
romain

L'amphithéâtre

Le mur
d'enceinte

Le théâtre
antique

La porte
d'Auguste

NÉCROPOLE

0   100 m

traces visibles rattachent à la période augustéenne (correspondant au règne d'Auguste, c'est-à-dire aux années 27 avant J.-C. 14 après J.-C.).

Le parcellaire garde encore très présente dans la partie basse de la ville (la Cité) la trame urbaine imposée par les Romains. Le quadrillage était rigoureusement aligné nord-sud et est-ouest autour de deux axes principaux : le *decumanus* (approximativement l'actuelle rue de la Calade) et le *cardo* (rue de l'Hôtel-de-Ville), dont l'extrémité méridionale a été retrouvée en 1977 près du kiosque à musique (fouilles de l'Esplanade). Des îlots d'habitation larges d'une cinquantaine de mètres étaient inscrits dans ce réseau avec, par endroits, des espaces plus vastes réservés à la construction des grands monuments publics. Cet *arearum electio* (emplacement réservé), ainsi que le nomme Vitruve [4], est particulièrement évident : le théâtre, le *forum* (les cryptoportiques), l'exèdre du Museon Arlaten, les thermes de la place de la République (disparus) et les thermes du nord (qui sont plus tardifs) s'inscrivent très précisément dans cette vaste composition urbaine.

3. P. Arcelin, « Du nouveau sur l'Arles antique », *Revue d'Arles*, n° 1, p. 22-23.
4. Vitruve : architecte romain qui a laissé un important traité technique « *De architectura* », vers 30-25 avant J.-C.

Elévation et plan de l'arc de triomphe du Rhône. Dessin de A. Bondon, gravé par J.-B. Guibert. Figure extraite de l'ouvrage Abrégé chronologique de l'histoire d'Arles..., Arles, 1808, par Jean-François de Noble La Lauzière. (Photographie : Jean-Loup Charmet).

L'Hauture, située au sommet de la butte rocheuse, ne présente au contraire aucune trame orthonormée visible. Il semble que ce quartier (qui se trouve peut-être à l'emplacement du premier *castrum* césarien) soit resté à l'écart de l'organisation spatiale orthogonale, bien qu'il ait fait partie intégrante de la ville : le mur d'enceinte augustéen l'englobe largement.

Vers l'ouest, il est aussi bien difficile de comprendre la topographie des premiers siècles : le quartier de la Roquette dont on a dit un peu rapidement qu'il était le quartier indigène, par opposition au quartier romain bien organisé de la Cité, est très mal connu. Des découvertes anciennes de mosaïques montrent que des constructions existaient certainement entre le cœur de la ville et l'emplacement du futur cirque, mais il est délicat de donner des datations concernant l'apparition de ce quartier.

L'arc de triomphe du Rhône, dans le quartier du Méjan, disparu mais dont l'étude stylistique de quelques dessins et relevés du XVIIe siècle montre qu'il est d'époque augustéenne, pourrait être caractéristique d'un changement d'orientation du plan de la ville. En tout cas, les fouilles de l'hôpital Van Gogh ont révélé très récemment qu'une immense esplanade existait au sud-ouest du *forum* et ce, dès le milieu du Ier siècle au moins. Cette place dallée de calcaire froid remet en cause le tracé du mur d'enceinte supposé pour l'ouest de la ville, tel que Fernand Benoit l'avait proposé, et oblige à considérer la Roquette comme une zone plus urbanisée qu'il n'y paraissait avec, peut-être, une organisation monumentale importante. De l'autre côté du fleuve, à Trinquetaille, quelques murs, quelques découvertes montrent une timide implantation intervenant vers le début de notre ère et sans doute localisée près du Rhône.

Les nécropoles se développent le long des voies d'accès, principalement autour de la voie aurélienne venant d'Italie (à l'emplacement de

L'arc de triomphe du Rhône. Dessin du XVIIe siècle provenant de la collection Sautereau, Bibliothèque municipale d'Arles. (Photographie : Chéné-Réveillac, C.N.R.S., Centre Camille-Jullian).

ce qui deviendra le cimetière des Alyscamps au Moyen Âge), le long du bourrelet alluvial à l'ouest de la ville (près du cirque), peut-être le long de la voie se dirigeant vers Ernaginum (route d'Avignon), et à Trinquetaille, au lieu-dit *la Pointe.*

LE DEUXIÈME PLAN D'URBANISME

Vers la fin du Iᵉʳ siècle après J.-C., au cours de la période flavienne [5], la ville va littéralement éclater et déborder par-delà le corset désormais trop étroit des murailles élevées sous le principat d'Auguste. Cette phase de prospérité liée à une intense activité économique et à un enrichissement de la population, est particulièrement marquée à Trinquetaille, où se développe un quartier très riche. Les fouilles montrent que les constructions modestes de l'état précédent sont modifiées, agrandies, avec un luxe et un raffinement décoratif remarquables.

Cet habitat résidentiel se double, vers le nord, d'une zone à vocation industrielle : le long du fleuve, des entrepôts, des quais et des établissements de type artisanal sont construits. La découverte la plus importante reste le monument du cimetière de Trinquetaille où un vaste espace, bordé d'un portique et de locaux, fait penser au *forum* des Corporations à Ostie. *Le site, en cours de fouille, sera présenté au public après avoir été étudié.*

Sur la rive gauche, les transformations de la fin du Iᵉʳ siècle sont encore plus évidentes. L'arasement des remparts dans la partie nord-est de la ville, favorise la naissance

« Les emballeurs » fragment de sarcophage (?) figurant deux dockers au travail. Calcaire. Musée de l'Arles Antique.

d'un nouveau quartier avec son système viaire organisé autour de l'amphithéâtre. On remarquera que ce dernier n'est plus inscrit dans la trame originelle, mais forme avec elle un angle assez marqué, suggérant le changement de parti urbanistique et peut-être aussi les difficultés que les ingénieurs romains ont dû rencontrer pour intégrer une telle masse architecturale dans la ville.

Tout à l'opposé de l'amphithéâtre, vers l'ouest, le cirque se développe entre le fleuve et la nécropole du Plan-du-Bourg. Les deux monuments avaient une capacité similaire qui avoisinait les vingt mille spectateurs. On ne saurait cependant en tirer des conclusions concernant le chiffre de la population d'Arles au moment de la construction du cirque et de l'amphithéâtre : le nombre des habitants pouvait être bien plus élevé.

Dans le centre-ville – la Cité proprement dite – le réaménagement monumental semble avoir été là aussi radical : les fouilles de l'hôpital Van Gogh en ont apporté la preuve. La place construite au milieu du Ier siècle est remaniée, agrandie, embellie. Une voie dallée, bordée à l'ouest par un portique la traverse. Il ne fait pas de doute, lorsque l'on considère l'orientation de cette voie et la date de ces travaux, que les urbanistes ont voulu accentuer le lien existant entre le cœur de la ville (l'esplanade s'articule avec le *forum* tout proche) et l'ensemble cirque-nécropole du Plan-du-Bourg.

Le développement et la prospérité d'Arles vont pourtant cesser au cours de la seconde moitié du IIIe siècle à la suite des désordres graves qui affecteront ses abords. Les fouilles des quartiers *extra-muros* sont caractéristiques : les couches de destruction et les abandons sont fréquents lors de la période qui va de 240 à 300.

---

5. Période correspondant à la dynastie flavienne c'est-à-dire aux empereurs Vespasien, Titus, et Domitien (69-96 après J.-C).

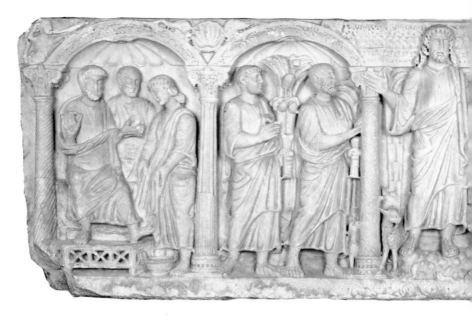

L'ANTIQUITÉ TARDIVE

À partir de Constantin (280-88/337), Arles retrouve une place de premier ordre, imputable à son rôle politique et administratif accru.

Aux IVᵉ et Vᵉ siècles, les empereurs séjournent à Arles de temps à autre (316, 353,…) et d'importantes manifestations s'y déroulent, comme le Concile de 314 où l'on débat de l'hérésie donatiste [6] ou comme la réunion régulière des délégués des Sept Provinces au début du Vᵉ siècle.

Certaines administrations impériales prennent place dans la ville et au cours des IVᵉ et Vᵉ siècles plusieurs transferts ont lieu : en 313 l'atelier monétaire d'Ostie est installé à Arles, au début du Vᵉ siècle c'est au tour de la préfecture des Gaules (anciennement à Trèves), en 418, le préfet du prétoire réside à Arles, ainsi que d'autres hauts fonctionnaires…

Sarcophage de la remise de la Loi. Le Christ docteur, debout sur la montagne où sont les quatre fleuves du paradis, remet le Livre déroulé de la Loi à saint Pierre. Marbre, vers 400. Musée de l'Arles Antique.

Un tombeau chrétien à Arles. Dessin et gravure de J.-B. Guibert. Figure provenant de l'ouvrage Abrégé chronologique... par Jean-François de Noble La Lauzière. (Photographie : Jean-Loup Charmet).

L'intérêt en faveur d'Arles est certes motivé par la situation attrayante de la ville mais aussi, et en grande partie, par la nécessité : les problèmes grandissants que connaît l'Empire sur ses marges (évacuation de Trèves notamment) rendent la situation de la ville rhodanienne, proche de l'Italie, particulièrement favorable. M. A. Chastagnol écrit fort justement que le repli sur Arles « marque bien l'abandon de tous les

---

6. Ce schisme s'est développé en Afrique; saint Augustin fut l'un de ses principaux opposants. Donat, mort vers 355, fut évêque de *Casae Nigrae* en Numidie.

territoires extérieurs... » ... « la nécessité de s'appuyer désormais plus strictement sur l'Italie a joué en faveur d'Arles et de la Provence ». Bien qu'intervenant dans une période troublée, cette bonne fortune politique est suivie d'une réelle prospérité économique. Les textes anciens, un peu trop laudateurs sans doute, insistent particulièrement sur le rayonnement d'Arles au cours de cette période : Ausone [7], l'empereur Honorius [8] ou les auteurs anonymes sont dithyrambiques.

« Arles, ville double, ouvre tes ports si aimablement hospitaliers : Arles, Rome des Gaules, qui as pour voisines d'un côté Narbonne, de l'autre Vienne, opulente colonie des Alpes. Le cours torrentueux du Rhône te coupe en deux : mais d'un pont de bateaux tu formes d'une rive à l'autre une large route; par le Rhône, tu reçois les marchandises de tout le monde romain : cependant, tu ne les gardes pas pour toi, tu enrichis d'autres peuples, d'autres villes, tu en fais profiter la Gaule et l'Aquitaine au vaste sein » (Ausone).

Solidus (monnaie d'or) frappé à l'effigie de l'empereur Valentinien III (425-455). Musée de l'Arles Antique.

« Telle est la situation de cette ville, telle est l'étendue de ses relations, telle est la foule de ses visiteurs qu'il n'y a pas au monde d'endroit mieux désigné pour répandre en tous sens les produits de la terre. L'opulent Orient, l'Arabie parfumée, la molle Assyrie, la fertile Afrique, la superbe Espagne, la Gaule vaillante, toutes ces contrées se donnent rendez-vous en ces lieux pour y apporter ce qu'elles ont de meilleur. C'est à croire que le sol y engendre tout ce que l'univers fait croître de magnifique. Le Rhône et la mer Tyrrhénienne y mêlent leurs eaux, comme pour rapprocher et confondre les nations dont elles arrosent le pays ou dont elles baignent les côtes » (Édit de l'empereur Honorius).

LA PRIMATIE DES GAULES

L'évêque Patrocle (412-426) va rapidement comprendre le parti à tirer d'une situation si favorable : bien implantée (on mentionne un évêque d'Arles, Marcianus, dès 254), soutenue par une classe dirigeante, puissante et fortement christianisée (la meilleure preuve en est l'abondance et la précocité des importations de riches sarcophages de marbre aux IVe et Ve siècles), l'Église d'Arles ambitionne la primatie (la tête de l'Église des Gaules), et donc revendique son indépendance vis-à-vis de l'évêque métropolitain établi à Vienne, dont elle dépend. Ces exigences, reprises par les successeurs de Patrocle seront satisfaites et aboutiront à la reconnaissance de l'autorité arlésienne sur les quatre provinces (Narbonnaise Première, Narbonnaise Seconde, Viennoise, Alpes-Maritimes) qui formaient autrefois la Narbonnaise.

Mais, on s'en doute, cette primatie n'est pas tolérée par l'évêque de Vienne : après la mort d'Hilaire, qui agit comme un véritable primat des Gaules, le pape Léon doit intervenir et partager la province en deux parties. Le rayonnement de l'Église d'Arles continue pourtant à dépasser largement son cadre administratif, grâce, surtout, à la personnalité des grands évêques qui se succèdent à sa tête : Honorat et Hilaire avant le partage de la province, Césaire après 450.

Boucle dite de saint Césaire. La boucle de ceinture représente les deux soldats endormis gardant le tombeau du Christ. Ivoire. Musée de l'Arles Antique.

LE DÉCLIN

À partir des années 480, Arles passe sous l'autorité des Wisigoths, puis, après plusieurs sièges, en 536 sous celle des Francs. Les difficultés grandissantes du haut Moyen Âge, invasions, raids barbares, l'affaiblissement des structures politiques et sociales, font que la ville se resserre autour de son noyau, en utilisant les monuments de la splendeur passée comme autant de places fortes : l'amphithéâtre devenu le *château des arènes* en est le meilleur exemple.

La « petite Rome des Gaules » s'enfonce alors progressivement dans l'anonymat et il faudra attendre le XIe siècle et le XIIe siècle pour qu'Arles retrouve une partie de sa puissance économique et spirituelle.

---

7. Ausone : poète latin, (vers 310 - vers 395 après J.-C.).

8. Honorius : premier empereur d'Occident (384-423 après J.-C.). Second fils de Théodose Ier, il fut nommé Auguste en 393, en même temps que son frère Arcadius.

Sarcophage de Phèdre et Hippolyte,
détail de la partie gauche

L'histoire
des découvertes
archéologiques

COLLECTIONS PRIVÉES
ET MUSÉES PUBLICS

S'il est vrai que le patrimoine se mérite, les Arlésiens n'ont certainement pas usurpé le leur ! À travers les vicissitudes de son histoire, ce peuple fier n'a jamais totalement oublié la grandeur de son passé antique et, lors des pires événements, cet héritage a toujours suscité d'admirables dévouements pour veiller à sa sauvegarde.

C'est par le goût de la collection que s'est d'abord manifesté l'intérêt pour les antiquités. Dès 1614, les Consuls, soucieux de conserver les témoignages majeurs issus du sol arlésien, avaient acheté une statue de Jupiter découverte près du Rhône, à Trinquetaille, pour l'exposer dans l'Hôtel-de-Ville où allaient bientôt la rejoindre le torse de Mithra, trouvé en 1598 près du cirque et acheté en 1723, puis l'autel de la Bonne Déesse provenant de la Major, le groupe de Médée et le moulage original de la Vénus d'Arles exécuté par Jean Péru, avant le départ du marbre original pour Versailles et sa restauration par le sculpteur F. Girardon (1628-1715).

Mithra d'Arles. Figure extraite de l'ouvrage Comte A. de Laborde. Monuments français classés chronologiquement... (Photographie : Jean-Loup Charmet).

Cour du couvent des religieuses de la Miséricorde, où étaient rassemblés autour des colonnes du théâtre la plupart des objets découverts sur le site. Aquarelle de Tassy. Museon Arlaten.

Mais très rapidement les archevêques dans leur Palais, les Frères Prêcheurs dans l'ancienne Juiverie et les religieuses de la Miséricorde dans la cour de leur couvent, installé sur les ruines du théâtre antique, rivalisèrent de zèle avec les Consuls pour recueillir les précieux vestiges découverts fortuitement. Les particuliers ne tardèrent pas à partager cet intérêt passionné. L'orfèvre Antoine Agard avait constitué un remarquable cabinet d'antiques dont il publia en 1611 le catalogue; Amat de Graveson, Gérouïn, prieur de Fourques, Lincel, Molin, Laurent Bonnemant, Sauret et tant d'autres érudits récoltaient avec passion et étudiaient avec enthousiasme statuettes, inscriptions ou bas-reliefs épars.

Favorisés par l'exceptionnelle richesse de la célèbre nécropole des Alyscamps, ce sont finalement les Frères de l'ordre des Minimes qui devaient rassembler dans leur monastère de Saint-Honorat une collection d'une importance telle que les Consuls devaient en faire, par une convention du 7 décembre 1784, le premier musée public d'antiquités, ouvert à tous les visiteurs. Laissées à l'abandon après la tourmente révolutionnaire, les collections furent sauvées une seconde fois grâce à la ténacité de leur premier conservateur, Pierre Véran, qui lutta pendant vingt ans avec une foi inébranlable pour obtenir leur transfert dans l'ancienne église Sainte-Anne, affectée par décret impérial à leur conservation.

Le théâtre antique peu après son dégagement. Aquarelle du milieu du XIXᵉ siècle. Museon Arlaten.

LES PREMIERS GRANDS TRAVAUX

Le goût des ruines, si puissant dans la mentalité romantique, s'est manifesté à Arles dès la fin du XVIIIᵉ siècle : les amateurs et responsables de la ville ne se contentèrent plus de la collecte des simples objets mais souhaitèrent une résurrection totale des monuments glorieux.

C'est à partir de 1825, sous le règne de Charles X, qu'allait être entrepris le dégagement de l'amphithéâtre. En installant le nouveau maire d'Arles, — le baron de Chartrouse — le préfet des Bouches-du-Rhône, Villeneuve-Bargemon, lui déclarait, le 12 décembre 1824 : « Le rôle du Maire est de s'attacher à restaurer les monuments romains qui existent encore et à les rendre dignes de l'amateur d'art

Autel de la Bonne Déesse. Dessin et gravure de J.-B. Guibert. Figure provenant de l'ouvrage Abrégé chronologique... (Photographie : Jean-Loup Charmet).

qui viendra les visiter et seconder les projets formés pour rechercher tous les morceaux précieux que recèle cette terre classique de l'archéologie de l'empire romain et du Moyen Âge ». Après cinq années d'efforts, le prestigieux édifice, libéré de ses deux cent douze maisons parasites, retrouvait sa destination primitive en accueillant, pour son inauguration en juillet 1830, une course de taureaux célébrée, dit-on, devant vingt mille spectateurs !

C'est avec la même ardeur que fut lancée, en 1833, une semblable opération pour exhumer les ruines du théâtre ensevelies sous des immeubles modernes. L'intervention municipale, qui ne devait s'achever qu'en 1908, allait permettre la réutilisation du monument pour les spectacles et remettre au jour les plus beaux fragments de sculpture de la cité, tout spécialement la statue monumentale d'Auguste et l'autel d'Apollon. Au début du XXe siècle, l'effort municipal se porta sur la restauration des thermes de Constantin puis sur l'exhumation d'un superbe élément d'une basilique du *forum*, fouillée à l'initiative de Frédéric

Mistral dans la cour de l'ancien hôtel de Laval-Castellane où allait s'installer en 1906 le Museon Arlaten.

Cet effort opiniâtre, poursuivi pendant un siècle, avait rendu à la ville quatre de ses plus grands monuments publics, mais n'avait en fait apporté que peu de renseignements sur son histoire et son organisation urbaine. Or, dans le même temps, d'importants chantiers de travaux publics, bouleversèrent profondément de vastes surfaces de sol, et provoquèrent de nombreuses découvertes fortuites dans les zones résidentielles ou dans les nécropoles de la cité antique, et fournirent une importante moisson de documents sur la vie quotidienne. Mal assumés scientifiquement, faute de compétences et de moyens, malgré l'infini dévouement des conservateurs de musée, mieux formés aux techniques de la peinture qu'à celles de l'archéologie, ces travaux permirent l'enrichissement des collections municipales par le sauvetage de beaux objets, tel le sarcophage de Phèdre et Hippolyte, mais entraînèrent aussi de dramatiques destructions. Les Alyscamps furent les premiers à subir d'importants dommages entre 1845 et 1856, au moment de la création des ateliers du Paris-Lyon-Marseille. D'autres destructions se produisirent également en 1866 au moment de l'établissement du remblai de la voie de

Le théâtre antique au moment de son déblaiement. Aquarelle de G. Revoil, novembre 1856. Bibliothèque des Monuments historiques, Hôtel de Croisille.
(Photographie : Jean-Loup Charmet).

Lunel, puis à partir de 1871, pendant le chantier de construction de la gare maritime, en bordure du Rhône, et en 1891, lors de l'implantation de la gare de Camargue. Ni la vigilance ni l'autorité de Jules Formigé n'empêchèrent le renouvellement de ces tristes expériences lors du creusement de la nouvelle écluse du canal d'Arles à Port-de-Bouc en 1909.

*Sarcophage de
Phèdre et Hippolyte.
Marbre, IIe siècle
après J.-C. (?). Musée
de l'Arles Antique.*

LE DÉBUT DES FOUILLES SCIENTIFIQUES ET L'ACTION DE FERNAND BENOIT

Cependant, face à ces désastres, se produisit un changement d'attitude. Il apparut clairement qu'une recherche archéologique véritable devait se fonder sur des fouilles systématiques conduites avec méthode, indépendamment de l'urgence des travaux d'édilité. En 1899, un artiste doublé d'un chercheur, Gaston de Luppé, entreprit à ses frais des sondages à Trinquetaille et fit don au musée de ses découvertes. Son exemple fut suivi par Joseph Granet qui mit au jour, en 1914, la mosaïque du Génie de l'année et des Saisons, au nord du chemin de la Verrerie.

La « grande guerre » allait interrompre brutalement tous ces travaux, mais ils avaient donné une impulsion décisive à la recherche. Les résultats les plus nouveaux furent offerts au public sous forme de deux remarquables synthèses. En 1921 paraissait l'*Arles Antique* de L.-A. Constans, première étude universitaire sur la ville romaine, et en 1922 Jules Formigé exposait au Salon à Paris, sa magistrale suite de dessins proposant des hypothèses concernant la reconstitution des principaux monuments.

Le flambeau allait être repris de main de maître ! En 1933, Fernand Benoit revenant à Arles après quatre ans passés au Maroc, retrouvait son poste d'archiviste-bibliothécaire de la ville et commençait, avec l'aide de l'Académie des Inscriptions une longue série de fouilles. Chartiste et « Romain », F. Benoit n'était pas seulement un immense érudit mais aussi un homme de terrain, n'ignorant rien des techniques de fouilles, de restitution et d'interprétation des découvertes. Celui qui devait devenir l'un des plus éminents chercheurs de sa génération s'attaquait, avec son incomparable connaissance des textes, à une longue tâche qui allait faire de lui le guide incontesté de l'archéologie arlésienne moderne. Pour la première fois étaient posés les problèmes majeurs des phases de création de la cité, de l'organisation de l'espace urbain et de l'évolution de son développement. Pour la première fois aussi, on tenta de reconstituer les multiples aspects de la vie quotidienne disparue en étudiant de façon systématique la succession chronologique des différentes couches sédimentaires.

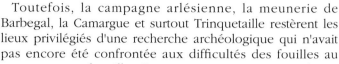

Toutefois, la campagne arlésienne, la meunerie de Barbegal, la Camargue et surtout Trinquetaille restèrent les lieux privilégiés d'une recherche archéologique qui n'avait pas encore été confrontée aux difficultés des fouilles au cœur des villes. Pourtant, un nouveau centre d'intérêt plein d'avenir commençait à attirer l'attention. Les premières fouilles au centre d'Arles eurent lieu lors du dégagement des galeries des cryptoportiques, conduit entre 1941 et 1944 par Jacques Van Migom, afin d'utiliser les sous-sols du monument comme abri anti-aérien. Elles revélèrent l'ampleur des aménagements du *forum* et la complexité de sa structure.

LES DÉCOUVERTES RÉCENTES

Très vite, après la guerre, la stratigraphie (étude de la succession chronologique des couches sédimentaires) acquit une importance fondamentale au cours des fouilles. Les travaux de la Reconstruction, place de la Major, puis l'implantation de la Chambre de Commerce, place de la République, permirent de découvrir en 1958, pour la première fois, des couches préromaines en place. Mais l'urbanisation rapide des abords de la cité et les grands travaux d'aménagement du centre ville allaient multiplier les interventions dans des conditions parfois difficiles. Grâce à la générosité et à l'intelligence des municipalités d'Arles, mais aussi grâce à l'aide scientifique et technique constante de la Direction régionale des Antiquités comme du Centre

Épingles en os découvertes au cours des fouilles de l'Esplanade. Musée de l'Arles Antique.

Bijoux en or découverts dans un sarcophage au cours des fouilles du Jardin d'Hiver. Musée de l'Arles Antique.

National de la Recherche Scientifique, ces chantiers sensibles ont été dirigés avec tout le soin nécessaire, sans sacrifier en rien la lecture indispensable des archives du sol. Qui plus est, à chaque fois des solutions souvent exemplaires ont été trouvées pour assurer la sauvegarde des sites majeurs. Ce fut le cas pour le Jardin d'Hiver ou pour l'Esplanade, mais aussi pour les mosaïques d'une *villa* romaine exceptionnelle, bien intégrées dans l'immeuble moderne du Crédit Agricole. Celui-ci ne recula devant aucun sacrifice pour parvenir à un résultat de qualité.

Site de l'Esplanade (1977), Léda poursuivie par le Cygne.

Pour faire face à l'urgence de ces problèmes, la ville d'Arles, consciente de ses devoirs, a créé dans le cadre de ses musées un laboratoire archéologique qui, en liaison étroite avec les services de l'État, intervient sur tous les chantiers où le sous-sol est menacé. La multiplication des fouilles récentes a apporté une moisson de connaissances sur les étapes du développement urbain et sur l'organisation des espaces périphériques qui bouleversent les hypothèses généralement admises. Ces fouilles ont aussi permis la découverte d'une quantité énorme de matériel archéologique qui vient compléter le fonds ancien et qui constitue un enrichissement exceptionnel du patrimoine.

Urne, vases et balsamaires en verre, provenant du site de Rochefleur. Musée de l'Arles Antique.

Portique extérieur de l'amphithéâtre

Les monuments et sites visibles

LES MONUMENTS D'ÉPOQUE AUGUSTÉENNE

LE MUR D'ENCEINTE *(nᵒˢ 1, 2, 3, 4)*

Pour voir les portions les mieux conservées du mur d'enceinte, partir de la place Portagnel (n°1) et remonter le boulevard E. Combes vers le sud. On accède à la porte d'Auguste (n° 3) par une volée d'escalier peu après le monument aux Morts. La Tour des Mourgues (n° 4) se trouve à l'angle du carrefour de la Croisière.

Dès l'époque d'Auguste (-63/14 après J.-C.), la colonie fut protégée par un rempart dont les parements sont montés en petits moellons smillés d'une admirable régularité. Au nord, le tracé de la courtine flanquée de tours rondes est encore très lisible. Cette courtine ceinturait l'éperon rocheux entre l'église de la Major et les arènes. De bons témoins de ce mur subsistent dans les substructions de ce monument. De là, la courtine rejoignait la rive du fleuve au niveau du musée Réattu.

Sur le front oriental, le mur d'enceinte, remarquablement conservé, s'incurve en une majestueuse demi-lune d'environ 100 m de long. La route d'Italie qui pénètre en ville le traverse grâce à la monumentale *porte d'Auguste*. Murée depuis le haut Moyen Âge, cette porte formait

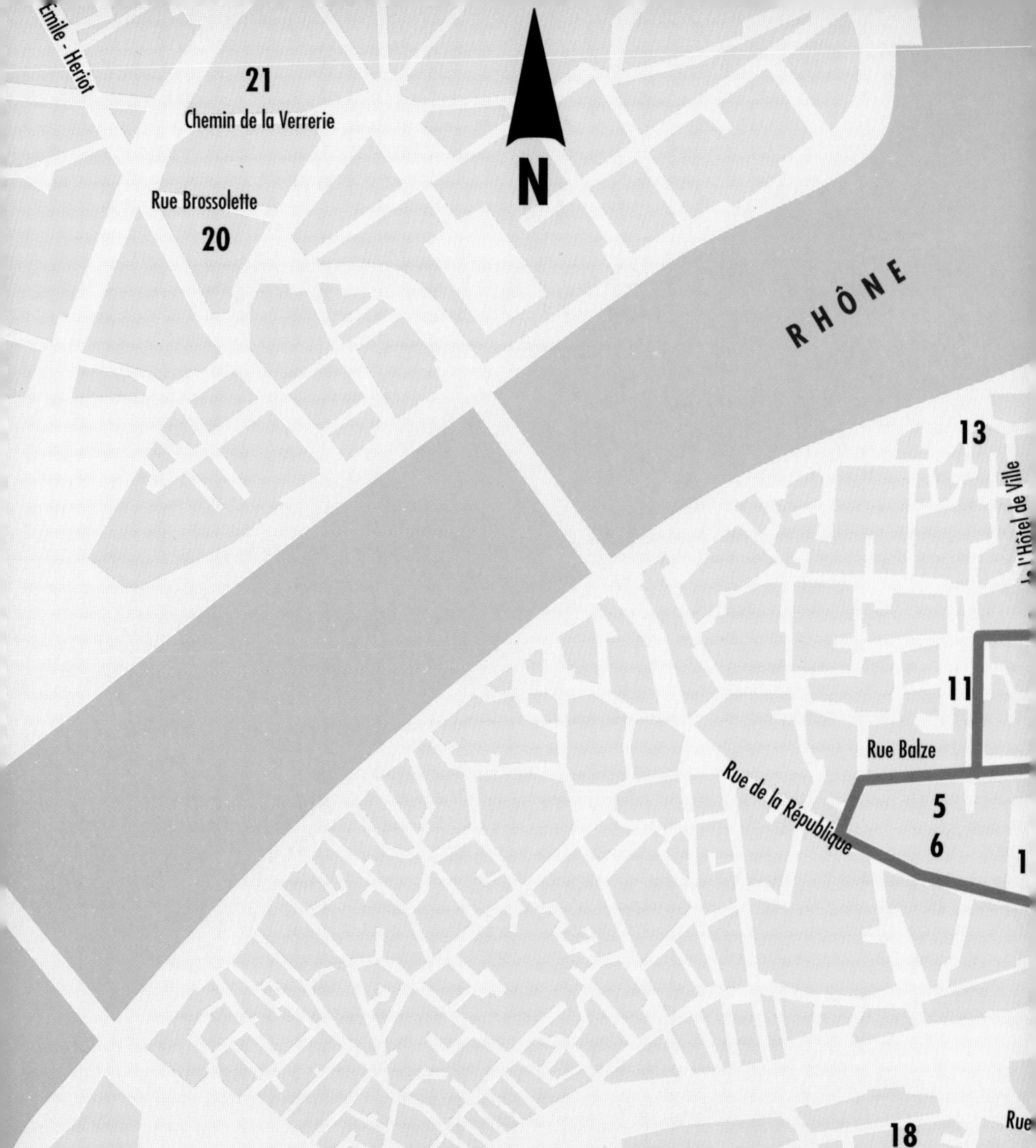

21
Chemin de la Verrerie

Rue Brossolette
20

RHÔNE

13

à l'Hôtel de Ville

11

Rue Balze

Rue de la République

5

6

1

18

Rue

N

un passage à double voie défendu par deux massifs rectangulaires complétés vers l'extérieur par deux demi-tours circulaires en grand appareil avec bases moulurées. Mais son axe est d'une orientation très nettement oblique par rapport à la ligne générale du rempart, ce qui prouve qu'elle a été édifiée en fonction du tracé plus ancien de la route auquel elle a dû s'adapter.

Sur les deux autres faces, les limites de la ville sont infiniment plus hypothétiques : la courtine méridionale semble traverser l'actuel Jardin d'Été mais la découverte d'un important niveau romain avec mosaïques

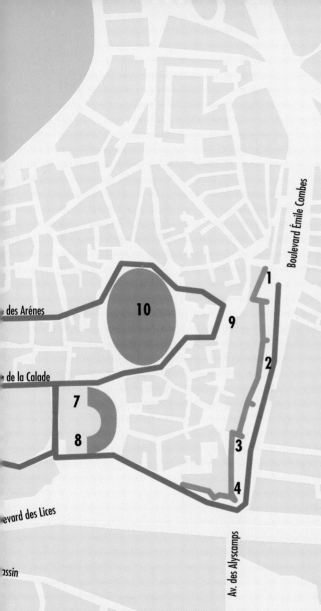

des Arénes

de la Calade

evard des Lices

ssin

Boulevard Émile Combes

Av. des Alyscamps

10

9

7

8

1

2

3

4

dans les fouilles d'un parc à voitures à 100 m au sud, peut remettre en question le tracé et le rôle même de ce rempart. Ce mur d'enceinte primitif a subi au cours des siècles plusieurs transformations bien visibles à la tour des Mourgues, grande tour cylindrique qui renforçait l'angle sud-est du *castrum*. Édifiée avec le même soin que les deux courtines perpendiculaires sur lesquelles elle s'articule, elle atteint encore une hauteur de 6 m pour un diamètre intérieur de 7,90 m. On y pénètre par une porte dont le linteau monolithe galbé selon la courbure de la façade est surmonté par un arc de décharge parfaitement appareillé.

39

Vue intérieure de la tour des Mourgues et de la courtine méridionale.

À une époque tardive, encore difficile à préciser, cette tour a été doublée à l'extérieur par la construction d'un mur en grand appareil édifié à la hâte en remployant des débris de monuments voisins. Arles est en effet la seule cité de Provence dont l'enceinte est réduite au Bas Empire de façon d'ailleurs relativement faible. Cette réduction du *pomœrium* semble justifiée surtout par le souci d'utiliser, sur le front sud, la masse des grands édifices antiques pour renforcer le nouveau rempart (portique du théâtre, monument de l'Archevêché et petit forum à exèdre de la cour du Museon Arlaten).

Une fouille systématique de ce rempart, effectuée entre 1902 et 1912 le long de la rue Vauban, a permis de retrouver parmi les blocs en remploi plusieurs monuments funéraires (cippes à portraits, fragments de mausolées) et surtout des éléments sculptés d'un arc de triomphe qui devait orner ce quartier. Le mur tardif bâti avec les dépouilles des édifices suburbains allait ensuite, sur une partie de son tracé, servir de support à un mur d'enceinte médiéval et subir de nombreux remaniements. La tour des Mourgues, dont la structure romaine cylindrique a été enveloppée à la fin du Moyen Âge par une chemise extérieure polygonale en moyen appareil régulier avec une base en glacis, en est un éclatant témoignage.

Les cryptoportiques : vue de la galerie occidentale.

LE FORUM *(n° 5)*

Depuis la tour des Mourgues, suivre le tracé du rempart tardif (démantelé au XIXᵉ siècle), le long de la rue Vauban puis le Jardin d'Été. Tourner à droite le long du théâtre antique, prendre la rue du Cloître puis redescendre en empruntant la rue de la Calade. Après le plan de la cour, suivre la rue Balze jusqu'au musée d'Art chrétien. L'entrée du cryptoportique est à l'intérieur du musée.

Le centre monumental de la colonie comprenait un ensemble d'édifices établis sur la pente ouest de la colline, étroitement inscrits dans la trame du premier quadrillage urbain de part et d'autre du *decumanus maximus* : au sud, des thermes occupant l'emplacement de la place de la République flanquaient un vaste portique dont les substructions sont aujourd'hui entièrement dégagées; au nord, une autre esplanade bordée de colonnes donnait accès aux thermes de Constantin.

Les *cryptoportiques*, cœur de cette magistrale composition, ont la forme d'un immense fer à cheval de 89 m de long sur 59 m de large, constitué par trois galeries souterraines se coupant à angle droit.

Colonnes antiques sur la place Saint-Lucien à Arles.
Dessin de Bance (sic) gravé par Dormier.

Chaque branche est composée de deux galeries parallèles accolées, larges de 3,90 m, communiquant entre elles par une série d'arcatures au cintre très surbaissé qui reposent sur une succession de piliers rectangulaires d'aspect trapu. Ces arcatures en grand appareil comptent sept claveaux, non extradossés, qui viennent buter sur des sommiers taillés de façon remarquable. Au contraire, les murs gouttereaux sont en petits moellons smillés disposés en assises régulières. Ils portent la même corniche moulurée que celle de l'arcature centrale, qui souligne la naissance des voûtes en plein cintre, montées en blocage de gros moellons enduits.

Les trois galeries étaient éclairées et ventilées par des soupiraux percés dans les voûtes, au-dessus de la corniche. Sur la face interne du fer à cheval, quarante-cinq ouvertures, correspondant à l'axe de chaque arcature, donnaient sur l'extérieur à 0,30 m au-dessus du dallage d'une place centrale. Ces soupiraux, dont certains portent des traces de grilles, ont été agrandis postérieurement par bûchage de leur ébrasement inférieur ce qui a entaillé la mouluration de la corniche. Plus rares sont ceux qui, irrégulièrement distribués, s'ouvrent vers l'extérieur de l'édifice : sept sur la façade ouest et trois au sud dont deux marquant l'axe transversal de la composition. Ils ont tous conservé le volume primitif de leur ouverture et n'ont pas été retouchés. Cette disposition semble indiquer la présence de constructions à l'extérieur du monument qui ont empêché la création de percements réguliers, en particulier sur la face septentrionale.

En effet, le sol naturel de la colline d'Arles offrant un pendage rapide de l'est vers l'ouest et du sud vers le nord, en direction du lit du Rhône, les cryptoportiques se trouvaient en sous-sol en-dessous du niveau extérieur romain dans leur branche méridionale, alors qu'ils affleuraient progressivement la surface dans leur partie opposée et s'ouvraient de plain-pied sur la ville du côté nord. Cela explique que les deux seules portes donnant accès à l'intérieur de l'édifice se soient trouvées précisément sur cette façade et qu'une série de boutiques aient pu être appuyées contre ce mur et s'ouvrir sur une rue est-ouest longeant tout le monument. Ainsi l'édifice comprenait trois niveaux distincts :

– Une *cour centrale* dallée, vaste terrasse artificielle de 3000 m², solidement établie sur la pente de la colline par les galeries en forme de fer à cheval qui bloquaient la masse des terres. Il n'est pas exclu qu'un sanctuaire consacré au culte de Rome et d'Auguste ait été érigé dans cet espace privilégié.

– Des *galeries* partiellement enterrées qui constituent la structure même de l'ensemble monumental mais dont l'utilisation précise nous échappe. Si un certain nombre d'aménagements intérieurs attestent que les galeries ont servi de greniers *(horrea)* il semble probable que cette destination tardive ne soit pas compatible avec les dispositions primitives. En revanche, l'hypothèse d'un promenoir souterrain, prolongement couvert du *forum*, librement ouvert à la circulation, pose de nombreux problèmes. Outre la médiocrité des deux seules portes (1,47 m de large) et leur absence totale de décoration, surprenante dans un monument de cette qualité, il faut remarquer que leur implantation sur une seule façade est peu propice à une fonction de passage. En outre aucune communication n'existe entre la place centrale et les galeries qui, de ce fait, ne peuvent jouer le rôle d'annexes.

– Le *portique supérieur* qui se développe sur le *podium* supporté par les voûtes des galeries. À ce niveau, le monument était vraisemblablement un quadrilatère car la face est, correspondant à l'affleurement du rocher, pouvait recevoir une construction sans nécessiter la présence de fondations supplémentaires. Les vestiges de ce portique se résument à des tambours de colonnes, des fragments d'entablement et à un chapiteau découvert dans l'angle nord-ouest des galeries où les voûtes s'étaient effondrées. Ces éléments permettent cependant de reconstituer les proportions considérables de cette colonnade dépassant 8 m de hauteur sur près de 100 m de long. La rudesse caractéristique des feuilles d'acanthe du chapiteau (formes aiguës et comme découpées dans du métal), suggère une date d'exécution voisine de 25 avant J.-C.

Sur la façade nord, deux éléments de mur mis au jour par des fouilles, indiquent l'existence d'un escalier primitif donnant accès au portique depuis le *decumanus*. Ce dispositif primitif a été remplacé par un aménagement beaucoup plus monumental, implanté dans l'axe transversal de la composition, dont les fondations ont interrompu le développement de la galerie, transformant sa partie orientale en un véritable cul-de-sac. Un édifice tétrastyle (dont la façade présente quatre colonnes de front) avec un grand escalier s'ouvrant au nord a été ensuite implanté sur ces substructions. Les deux hautes colonnes de granite, qui se dressent encore sur la place du *forum* en sont les vestiges

Bouclier avec une inscription, copie du bouclier d'or décerné à Octave par le sénat de Rome en 26 av. J.-C. Marbre, Ier siècle après J.-C. Musée de l'Arles Antique.

Vue intérieure du monument à exèdre fouillé en 1905 dans la cour de l'hôtel de Laval Castellane.

Octave barbu, (ou petit fils d'Auguste ?) Ier siècle. Musée de l'Arles Antique.

glorieux (n° 11). C'est dans son soubassement qu'une galerie à arcades couvertes de voûtes d'arêtes a été aménagée en avant des boutiques, sur l'emplacement de l'ancienne rue et du grand collecteur d'égout qui la suit. Cette construction du Bas Empire est remarquable par l'alternance régulière d'assises de moellons de calcaire longs et minces et d'assises de briques, aussi bien dans les voûtes que dans les arcs.

Enfin à l'époque paléochrétienne tardive, l'extrémité est de cette galerie à arcades a été transformée en chapelle, sous le vocable de saint Lucien, à une époque assez ancienne pour qu'une fenêtre absidiale ait pu s'ouvrir à l'air libre. C'est l'établissement de cette abside qui allait fermer définitivement le couloir d'accès à l'extrémité orientale de la galerie nord des cryptoportiques et protéger, ainsi, en l'isolant, le dépotoir de marbres découvert en 1951 qui comprenait outre les inscriptions honorifiques relatives au culte de Rome et d'Auguste, un splendide bouclier de marbre, copie du *clipeus* (bouclier) d'or décerné à Octave par le Sénat de Rome en 26 avant J.-C. et le célèbre buste d'Octave portant au menton la barbe qu'il avait conservée en signe de deuil après la mort de son père adoptif César, dont il se proclamait l'héritier.

LE MONUMENT À EXÈDRE
DU MUSEON ARLATEN *(n° 6)*

En sortant du musée d'Art Chrétien, prendre la rue Balze à gauche puis la rue Mistral, enfin la rue de la République. L'entrée du Museon Arlaten, où se trouvent les vestiges du petit forum, *est située un peu plus haut vers l'est.*

Vers l'ouest l'ensemble des cryptoportiques s'articule exactement avec les vestiges d'un monument que Frédéric Mistral fit dégager après 1905 dans la cour du Museon Arlaten. Il s'agit d'un mur en arc de cercle décoré sur sa face intérieure de niches en plein cintre séparées par des colonnettes dressées sur une haute plinthe. Dans son axe, cette exèdre s'ouvre par une porte monumentale ornée de deux colonnes sur chaque face. Le sol de cette cour

est revêtu d'un dallage régulier de grandes dimensions. Aucune trace de couverture n'étant visible cette cour devait être un espace public à ciel ouvert. Sur sa lisère occidentale se trouve le départ d'un *podium* qui pourrait être le soubassement d'un temple précédé par une longue cour aux extrémités en hémicycle. Des fragments de la dédicace au Génie de la colonie ont été recueillis au cours des fouilles. Ainsi ce majestueux ensemble du *forum* arlésien

Vues du théâtre antique.

se présenterait comme une vaste composition d'axe est-ouest, étagée sur le flanc de la colline, comportant un portique rectangulaire établi sur des substructions en fer à cheval, abritant un sanctuaire et complété par une place étroite et allongée dominée par un temple.

LE THÉÂTRE *(n° 7)*

Pour se rendre au théâtre antique, remonter la rue de la République vers l'est, emprunter la rue du Cloître puis celle de la Calade. L'entrée est à quelques mètres sur la droite.

C'est le sommet de la colline qui avait été choisi pour l'implantation du théâtre. Ne pouvant donc bénéficier de la présence du flanc rocheux pour y adosser ses gradins, la *cavea* a été entièrement établie sur un ensemble de substructions faites de galeries concentriques et de salles voûtées rayonnantes. Cette disposition est d'autant plus remarquable que ce monument a été édifié dans le dernier tiers du Ier siècle avant J.-C. (comme les cryptoportiques). Il s'inscrit très régulièrement dans le plan quadrillé primitif et sa construction commencée peu après la fondation de la colonie s'est sans doute achevée aux environs de 12 avant J.-C., date de la sculpture des frises et des chapiteaux.

La *cavea*, de 102 m de diamètre, disposée face à l'ouest,
s'appuyait sur trois niveaux
d'arcades. Au rez-de-chaussée vingt-sept arcades, ou-
vertes vers l'extérieur, servaient de portique. De cette
élévation ne subsiste qu'une
seule travée qui avait été
englobée, au Moyen Âge,
dans le rempart méridional
de la cité, et transformée en
tour de défense. Cet ouvrage,
célèbre sous le nom de « Tour
de Roland » (n° 8), est l'ultime
témoin de l'élévation du
théâtre et c'est en se référant
au niveau de son sommet

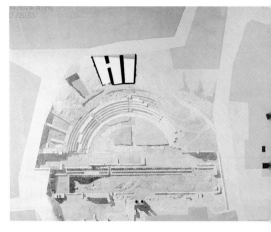

*Plan du théâtre d'Arles. Aquarelle par Ch. Quesnel,
1845. Bibliothèque des Monuments historiques, Hôtel
de Croisille.
(Photographie : Jean-Loup Charmet).*

*L'orchestra du théâtre d'Arles.
Aquarelle de Huard, Museon
Arlaten.*

que nous devons imaginer la hauteur de cette salle qui comptait trente-trois rangées de gradins divisés en trois espaces (*mœniana*) superposés pouvant contenir dix mille spectateurs.

À la différence de l'amphithéâtre qui a été magnifiquement préservé, le théâtre a été l'objet d'une démolition systématique pour fournir des matériaux aux travaux qui se sont succédé du ve au xiie siècle sur le chantier de construction de la primatiale Saint-Trophime toute proche. Au xviie siècle son souvenir même était perdu et il a fallu attendre l'époque romantique pour que soient dégagés les vestiges du

La tour de Roland; vue prise depuis le nord-ouest.

théâtre noyés sous leurs gravois. Cela explique que seules les parties inférieures de ce monument soient intactes.

La *cavea*, reconstruite partiellement au xixe siècle, conserve bien lisibles dans ses gradins inférieurs en grand appareil les cinq escaliers

Autel à Apollon découvert dans le théâtre antique. Musée de l'Arles Antique.

Danseuse ayant décoré le mur de scène du théâtre d'Arles. Marbre, 1ᵉʳ siècle, Musée de l'Arles Antique.

Autel à Apollon, détail Musée de l'Arles Antique

*Portrait d'enfant découvert
dans les fouilles du théâtre.
Marbre, Ier siècle.
Musée de l'Arles Antique.*

La Vénus d'Arles. Original en marbre après la restauration par le sculpteur Girardon. Musée du Louvre. (Photographie : Giraudon).

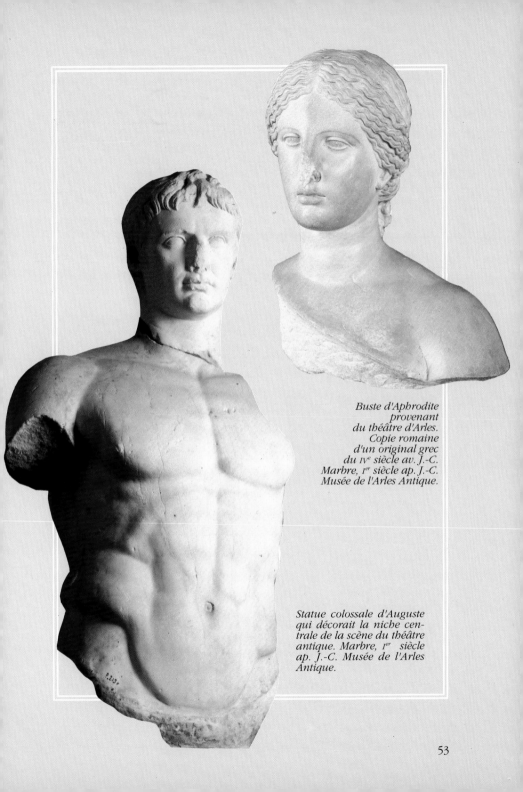

Buste d'Aphrodite
provenant
du théâtre d'Arles.
Copie romaine
d'un original grec
du IVe siècle av. J.-C.
Marbre, Ier siècle ap. J.-C.
Musée de l'Arles Antique.

Statue colossale d'Auguste
qui décorait la niche centrale de la scène du théâtre
antique. Marbre, Ier siècle
ap. J.-C. Musée de l'Arles
Antique.

53

rayonnants qui découpent les *cunei* et la première *praecinctio* dont les dalles recouvrent un égoût destiné à recevoir les eaux de pluie et portent la trace d'encastrement du petit mur limitant l'orchestre, le *balteus*.

L'*orchestra* comprend un *gradus decurionum* susceptible de recevoir plusieurs rangées de sièges mobiles, — ce qui correspond à ce que nous savons du nombre important des magistrats municipaux — et une partie, réservée aux évolutions du chœur, dont le sol est constitué par un dallage de cipolin vert encadré par deux zones de brèche rose; elle porte en son centre le trou de scellement d'un autel à Apollon, aujourd'hui au musée de l'Arles Antique. Au nord et au sud s'ouvrent les deux grandes entrées monumentales surmontées de tribunes.

« Monument antique connu sous le nom de Tour de Roland à Arles ». Dessin de Bence gravé par Réville et Lorieux.

Face aux gradins, se développe l'ordonnance de la scène. Elle dominait l'orchestre du haut du mur du *pulpitum*, — dont subsistent deux assises de blocs — richement orné d'une statuaire en partie conservée au musée; le très bel autel d'Apollon, deux petits autels ornés de la couronne civique et de deux Silènes couchés sur des outres servant de fontaine. La scène proprement dite, le *proscaenium*, était une plate-forme de bois montée sur des tréteaux de 6 m de large sur plus de 50 m de long partant du *pulpitum* et atteignant le pied des grandes colonnes. Sous le plancher de la scène se trouve la machinerie du rideau. Celui-ci était logé dans une étroite galerie, bordée par des alvéoles de pierre, doublés de cassettes de bois, servant à faire coulisser les armatures mobiles qui supportaient le tissu. Toutes ces tiges verticales étaient mues par des cordes qui s'enroulaient à l'extrémité sud de la scène sur un gros tambour que les machinistes pouvaient manœuvrer facilement grâce à la chute d'un contrepoids dont les traces sont visibles dans la roche.

Le *frons scaenae* (mur de fond de la scène) était décoré sur trois niveaux d'une centaine de colonnes à ordres superposés. Si les deux rangs supérieurs ont disparu — mais la hauteur nous est donnée par la Tour de Roland — il nous reste un admirable témoin de l'ordonnance inférieure : les deux célèbres colonnes de marbre coloré qui n'ont cessé, malgré les vicissitudes de l'histoire, de dresser sur le ciel arlésien leurs chapiteaux corinthiens supportant un fragment mutilé d'entablement. Cette rangée inférieure comptait vingt colonnes reposant sur un stylobate divisé en plusieurs massifs pour ménager le passage des acteurs dans les coulisses. Au centre, un important décrochement encadrait la porte royale, surmontée par une niche renfermant la statue monumentale d'Auguste, représenté dans sa nudité héroïque.

*La tour
de Roland.
Aquarelle de
Huard, 1826.
Museon Arlaten.*

Élévation de l'amphithéâtre d'Arles. Façade restaurée par Ch. Quesnel, 1865. Aquarelle. Document conservé à la Bibliothèque des Monuments historiques, Hôtel de Croisille. (Photographie : Jean Loup Charmet).

·ARLES·
AMPHITHEATRE
GRADINS ET ACCES

Coupe restituée de l'amphithéâtre d'Arles. Gradins et accès. Jules Formigé. Bibliothèque des Monuments historiques, Hôtel de Croisille. (Photographie : Jean-Loup Charmet).

De chaque côté, les niches du mur de scène renfermaient une statuaire d'une exceptionnelle qualité, inspirée de modèles grecs (Aphrodite et danseuses) : la pièce la plus fameuse est la « Vénus d'Arles », découverte en creusant un puits en 1651 et offerte à Louis XIV en 1683 pour décorer Versailles. Enfin, un grand mur fermait la colonnade vers l'extérieur et supportait l'avancée d'une toiture en auvent qui, appuyée de chaque côté sur les *parascaenia*, protégeait la scène.

Aujourd'hui, le Festival d'Arles a rendu le théâtre à sa véritable destination.

LES MONUMENTS D'ÉPOQUE FLAVIENNE

L'AMPHITHÉÂTRE *(n° 10)*

L'entrée de l'amphithéâtre se trouve au bas de la rue des Arènes, vers le nord. On peut s'y rendre aussi en empruntant le rond-point des Arènes et la place de la Major (n° 9); sur la place on pourra avoir une jolie vue des Alpilles (table d'orientation).

Il occupe, sur le flanc nord de la colline, une vaste plate-forme taillée dans le roc et il apparaît sensiblement en contrebas dans sa partie sud tandis qu'il domine au nord le « quartier du marché » qui borde le fleuve. Sa construction a correspondu à la démolition de la courtine du rempart et à l'extension de la cité. Les vestiges de ce rempart sont encore visibles dans les fondations du monument qui les a utilisées comme assise. La céramique découverte lors de la fouille permet de le dater de la dernière décennie du Ier siècle de notre ère, correspondant au règne des flaviens. L'axe général de l'édifice a une orientation nettement différente de celle du premier plan d'urbanisme d'Arles et l'importance du dispositif scénique de l'amphithéâtre rappelle celui des grandes constructions de l'époque flavienne, comme le Colisée.

C'est un vaste monument, dont la surface dépasse 11.500 m², ayant la forme générale d'une courbe à plusieurs foyers qui se rapproche de l'ellipse. Avec un grand axe de 136 m de longueur et un petit axe de 107 m, les arènes d'Arles sont légèrement plus grandes que celles de Nîmes et occupent environ le vingtième rang parmi les grands amphithéâtres du monde romain.

La façade de 21 m de haut comprend deux niveaux de soixante arcades en plein cintre aux ouvertures de largeur irrégulière et aux

Vue de la galerie du rez-de-chaussée.

Vue de l'amphithéâtre d'Arles.

piédroits massifs de section rectangu-laire. Ceux du rez-de-chaussée sont ornés de pilastres doriques et d'un entablement non sculpté qui forme ressaut au droit des chapiteaux. Une ouverture plus large souligne les extré-mités des deux axes du monument : l'entrée principale, située aujourd'hui au nord, s'ouvrait à l'époque romaine du côté de l'ouest où le rocher porte encore la trace des degrés d'un escalier donnant sur la ville. Au premier étage, les piédroits de la seconde ran-gée d'arcades sont décorés de demi-colonnes engagées de style corin-thien : un des chapiteaux à feuilles d'eau est conservé dans la partie sud-ouest de la galerie. Une balustrade en pierre fermait le bas de ces arcades.

À chaque niveau correspond une vaste galerie circulaire qui permet l'accès rapide aux gradins grâce à des passages horizontaux et à des escaliers disposés alternativement. Elle constitue un véritable prome-noir et un abri en cas de pluie. Celle du rez-de-chaussée est particuliè-rement remarquable : la majesté de ses proportions, la puissance de ses grands blocs de calcaire appareillés à joints vifs, sans mortier, sa cou-verture non point voûtée mais faite d'énormes dalles monolithes, la qualité de la lumière qui se glisse entre les arcs créent une impression saisissante de force et de plénitude.

La galerie du premier étage est moins haute mais son mode de cou-verture est aussi exemplaire : des voûtes en plein cintre composées de

L'amphithéâtre, vue extérieure.

Dessin de Bence, gravé par Baugean.

Procession entrant dans l'amphithéâtre. Le quartier bâti à l'intérieur de l'amphithéâtre comportait deux églises. Dessin de H. Vernet, 1818. Museon Arlaten.

quatre anneaux parallèles et indépendants, selon la technique utilisée au Pont-du-Gard, sont montées dans le prolongement du plan de la façade. Elles reposent sur deux magnifiques linteaux monolithes portés par des consoles. Dans l'épaisseur de chaque pilier, entre deux linteaux, une petite voûte perpendiculaire à la première supporte l'escalier extérieur qui desservait les derniers rangs de gradins. Les arènes comportent dix niveaux d'utilisation desservis par cent quatre vingt-huit points de passages. Elles pouvaient recevoir vingt mille spectateurs. La *cavea* est aujourd'hui détruite dans ses parties hautes. Aussi les arcades supérieures de la façade se détachent-elles sur le ciel comme une véritable couronne, alors que durant l'Antiquité, les gradins partant du *podium* montaient sans solution de continuité jusqu'au sommet du monument surmonté par un attique, maintenant disparu. La *cavea* comprenait trente-quatre gradins en grand appareil divisés en quatre *mœniana*. Les places avaient une largeur uniforme de 0,40 m séparées, en groupe de cinq, par un petit signe gravé en forme d'Y.

L'ARÈNE

La partie centrale réservée aux jeux se trouve en contrebas des gradins dont elle est séparée par un mur très soigneusement appareillé : le *podium*. Il est revêtu de splendides dalles en pierre froide, hautes de 2,36 m, épaisses de 0,30 m, surmontées d'un couronnement arrondi formant accoudoir pour les spectateurs du premier rang. Sur ces dalles court, répétée de chaque côté de l'amphithéâtre, une inscription monumentale, malheureusement très abîmée. Elle rappelle qu'un candidat à une magistrature municipale, C. Junius Priscus, après avoir assumé les

La piste de l'amphithéâtre.

Vue intérieure des arènes d'Arles. Dessin de Bence gravé par Réville et Perdoux. (Photographie : Jean-Loup Charmet).

frais de ce *podium*, a offert une statue de Neptune en argent et quatre statues d'airain pour orner le monument, donné un grand banquet, et fait célébrer pendant deux jours des jeux et une *venatio* (une chasse).

Le *podium* était percé de plusieurs ouvertures qui semblent avoir été munies de vantaux de pierre : des fenêtres éclairaient la première galerie intérieure tandis que quatre portes donnaient accès à l'arène. Celles placées aux extrémités du petit axe paraissent avoir été utilisées par les seuls piétons, celles du nord et du sud, beaucoup plus importantes, servaient d'accès aux véhicules. Le niveau de leur seuil montre que le sol de l'arène était situé à environ 2 m plus haut que notre sol moderne. En fait, l'arène antique était un plancher dont les lames reposaient dans la rainure du bourrelet de pierre que l'on aperçoit encore à mi-hauteur du *podium*. Au-dessous, des encoches carrées, placées à 0,40 m de distance, constituaient le logement des poutrelles de bois qui soutenaient le plancher. Une multiplicité de petits murs ou de supports assuraient, en

ARLES

VUE DE L'AMPHITHÉÂTRE D'ARLES

L'amphithéâtre avant son dégagement.
Dessin et gravure
de J.-B. Guibert. Museon Arlaten.

Trois arcades
sur la rue

Chapelle
de St-Genès

Salle de spectacles   Passage moderne   Sept arcades
sur la rue   Clocher
de la Métropole

Grande entrée   Clocher   Église   Tour de M. l'Abbé
antique, au midi   des Cordeliers   des Cordeliers   Compagnon

Passage moderne

Chapelle supprimée
de St-Michel

Clocher
des Dominicains

Pavillon
de M. le Baron de l'Édenon

Grande entrée
antique, au nord

Lampe à huile décorée d'une représentation de gladiateur mourant. Il s'agit vraisemblablement d'un samnite, reconnaissable à son bouclier long et à son casque à panache. Terre-cuite. Musée de l'Arles Antique.

sous-sol, la stabilité de ces éléments, tout en ménageant des circulations pour les machinistes, des emplacements pour les décors et des cages pour les bêtes que l'on pouvait ainsi faire apparaître au milieu de la scène par une trappe du plancher. L'amphithéâtre d'Arles semble donc avoir possédé un dispositif scénique occupant tout le sous-sol de l'arène et non pas seulement une fosse centrale, comme à Nîmes. Malheureusement il ne subsiste aucun vestige des travaux de dégagement effectués au XIXᵉ siècle.

LES ARÈNES AU MOYEN ÂGE

Après l'effondrement de l'empire romain, le monument fut occupé par les soldats barbares puis, au moment de la dévastation générale de la cité, il devint le dernier refuge de la population arlésienne. Dès le VIIIᵉ siècle, sans doute, lors des incursions arabes, les arènes furent transformées en une véritable forteresse. Au Moyen Âge, la défense se trouva renforcée par la construction des célèbres tours qui donnent aux arènes d'Arles leur physionomie si caractéristique. Une petite place publique avait été aménagée au centre de l'arène et une chapelle y abritait les reliques de saint Genest, le martyr local. Une seconde chapelle dédiée à saint Michel était logée à la base de la tour occidentale. Une gravure de 1686 nous a conservé une vue de cet ensemble pittoresque.

Le dégagement des arènes a été conduit par la municipalité du Baron de Chartrouse de 1826 à 1830 : il y avait encore à ce moment là deux cent douze maisons dans l'enceinte du monument. La première fête organisée dans l'amphithéâtre rénové commémorait la prise d'Alger en juillet 1830.

Les spectacles
à l'époque romaine

Alors que le théâtre et l'odéon étaient réservés aux spectacles de caractère « culturel », les cirque et amphithéâtre se partageaient essentiellement les représentations sportives et violentes : courses de chars au cirque, combats de gladiateurs dans l'amphithéâtre. Les chasses semblent avoir été représentées indifféremment dans l'un et l'autre lieu; les combats navals (naumachies) se déroulaient dans des amphithéâtres spécialement aménagés, ce qui n'est pas le cas de celui d'Arles.

Les jeux étaient organisés à l'occasion des fêtes fixes, des célébrations du culte impérial mais aussi au cours de représentations extraordinaires marquant un événement de la vie de l'empire, victoires militaires par exemple, ou de la vie municipale, élections, inauguration d'un monument...

Les frais importants du spectacle étaient supportés généralement par l'empereur et les magistrats municipaux dont la carrière dépendait parfois de ces largesses : l'inscription de

Gladiateur appartenant à la catégorie des Samnites. Musée de l'Arles Antique. (Photographie : Réveillac; C.N.R.S., Institut d'Archéologie Méditerranéenne).

C. Junius Priscus dans l'amphithéâtre d'Arles est un témoignage significatif de cet évergétisme intéressé.

Les *munera* (combats de gladiateurs) sont la forme de spectacle la mieux connue en raison de nombreuses descriptions littéraires, des témoignages apportés par l'épigraphie et par les scènes de la gladiature très souvent représentées sur des objets de la vie courante : céramique, verre, bas-reliefs…

ORGANISATION D'UN COMBAT DE GLADIATEURS

Lorsqu'un magistrat ou un riche particulier décidait d'offrir un combat, il s'adressait à un *impresario*, le laniste (*lanista*) qui recrutait et entraînait les gladiateurs dans des écoles spécialisées (*ludus gladiatorum*) : c'est d'une de ces écoles que s'échappa Spartacus. On connaît le nom d'un laniste arlésien, Marcus Iulius Olympius, qui s'intitule lui-même *negociator familiae gladiatoriae* (« marchand de gladiateurs »), sur une stèle funéraire du IIe siècle après J.-C. : on comprend sa répugnance à utiliser le mot *lanista* puisque, étymologiquement, le terme veut dire boucher.

Jean-Léon Gérôme. Pollice verso, 1874. Les précurseurs du genre « péplum » sont à chercher parmi les peintres des grandes reconstitutions historiques du XIXe siècle. Jean-Léon Gérôme, dans une de ses œuvres majeures Pollice verso (avec le pouce baissé), a étudié de très près les armes découvertes en 1766 au cours des premières fouilles de l'école des gladiateurs de Pompéi. (Photographie Phœnix Art Museum; Museum Purchase).

Le spectacle pouvait durer de un à cinq jours car la loi était soucieuse d'éviter de trop grosses dépenses au magistrat contraint, par ses fonctions, d'organiser à ses frais un combat. De la même manière, certaines mesures réfrénaient la rapacité des lanistes : ils devaient par exemple obligatoirement donner en spectacle, (pour moitié) au cours de la même journée, des gladiateurs du meilleur choix (*meliores*), payés très cher, et des combattants de moindre talent (*gregarii*) et donc d'un prix inférieur. Seul l'empereur pouvait déployer une munificence extraordinaire : Trajan, pour fêter la conquête de la Dacie en 107 après J.-C., mit aux prises dix mille hommes dans des combats et des chasses qui durèrent cent vingt-trois jours !

DÉROULEMENT DU MUNUS

La veille du combat (*munus*), un repas réunissait tous les gladiateurs; ce repas était public et les spectateurs pouvaient venir voir de près les protagonistes du lendemain.

Le *munus* proprement dit commençait par un défilé (*pompa*) où figuraient le commanditaire des jeux (*editor*), des musiciens, les gladiateurs parés de riches vêtements et portant vraisemblablement des armes de parade somptueuses : on ne peut, bien sûr, manquer d'évoquer le défilé qui aujourd'hui prélude à une corrida, avec les toreros vêtus de leur « habit de lumière » aux couleurs brillantes.

Après la *pompa*, les gladiateurs s'échauffaient (*calefieri*, disent exactement les textes) au cours d'une séance d'escrime (*prolusio*).

Les armes, inoffensives, permettaient aux combattants de mesurer leur force et aux spectateurs d'apprécier la valeur et l'habilité de ceux qui allaient combattre. La *prolusio* était suivie de l'examen des armes réelles : l'*editor* avait ce privilège et devait en vérifier la qualité et le tranchant. Il semble que ce soit aussi à ce moment que l'on assortissait les gladiateurs par paire. Ce choix effectué publiquement évitait les « arrangements » qu'aurait pu prendre le laniste.

Les duels de gladiateurs n'étaient jamais le fait du hasard : la constitution des « paires » découlait d'un dosage subtil faisant intervenir la spécialité de chaque combattant et la spécificité de chaque type d'armes; sans doute devait-on prendre en compte aussi la qualité propre du gladiateur car il aurait été inutile et peu spectaculaire d'opposer un vétéran, aux nombreuses victoires, à un novice.

*Reconstitution d'un des 35 médaillons
de la mosaïque des promenades
découverte en 1860 à Reims.
Le gladiateur thrace, IIIe siècle après J.-C.
Musée Saint-Rémi-de-Reims.*

Le combat ainsi équilibré était sur-
veillé par un arbitre (*summa
rudis*, du nom de la baguette qu'il
tenait), qui obligeait les adversaires à un respect strict des règles
et qui intervenait à chaque faute
technique, pour arrêter le combat.
C'était l'orchestre que l'on a déjà
vu défiler au moment de la *pompa*
qui donnait le signal de la lutte et
qui, les bas-reliefs l'attestent,
jouait pendant tout le spectacle.

L'arrêt du *munus* était décidé
lorsque l'un des deux adversaires
mourait. Si l'un d'eux, seulement
blessé ou épuisé, s'avouait vaincu,
il déposait les armes, se couchait
à terre et demandait d'avoir la vie
sauve en levant le bras. Seul le
responsable des jeux (*editor*)
pouvait accorder la grâce (*missio*)
au gladiateur qui la demandait. En
général, l'*editor* attendait de
connaître la réaction du public
pour rendre son verdict : la vie
sauve si les spectateurs levaient la
main ou agitaient une pièce
d'étoffe (*mappa*), la mort s'ils
baissaient le pouce vers la terre; le
vaincu était alors égorgé par son
vainqueur.

Les combattants de force égale
qui ne pouvaient venir à bout l'un
de l'autre étaient grâciés tous les
deux, surtout à la suite d'un duel
superbe. Après chaque combat,
des serviteurs portant les attributs
de Charon le passeur, évacuaient
le gladiateur mort sur une civière,

*Lampe à huile dont le
médaillon est orné par le combat de deux gladiateurs
thraces armés du poignard
court à lame recourbée* (sica),
et du bouclier court (parma) *et
coiffés du casque à larges
rebords. Musée de l'Arles
Antique.*

ou le traînaient à l'extérieur avec un croc tiré par un cheval. Le vainqueur recevait une palme et effectuait un tour d'honneur au pas de course. L'*editor* lui remettait ensuite une somme importante en pièces d'or comptées devant le public et présentées sur des plats de grand prix.

LES DIFFÉRENTES ARMES

Les troupes de gladiateurs comprenaient plusieurs catégories de combattants (*armaturae*) que l'on distinguait grâce à leur costume et à leurs techniques de combat. Seul un petit nombre d'équipements était commun à plusieurs d'entre elles : la *manica* (brassard) pour protéger le bras et l'avant-bras, le pagne, le ceinturon large (*balteus*) et les *fasciae* (bandes molletières d'étoffe ou de cuir). En général, le torse était toujours découvert pour permettre de porter une blessure mortelle et la tête, les bras et les jambes protégés pour éviter que l'un des gladiateurs soit estropié et ne puisse continuer le combat. Les différentes catégories de combattants ont souvent représenté des guerriers ennemis de Rome. Au fur et à mesure que de nouvelles tribus étaient réduites par les armées romaines, leur manière de combattre et leur équipement apparaissaient dans l'arène.

Les plus anciens gladiateurs semblent être les Samnites, dont l'armement découle de la victoire des Campaniens sur le peuple samnite en 310 avant J.-C. Ceux-ci avaient un armement lourd : ils portaient un bouclier long (*scutum*), un casque orné de plumes et d'un panache. Leur jambe gauche difficilement couverte par le bouclier était protégée par une jambière de cuir et de métal (*ocrea*); de leur bras droit, protégé par un brassard (*manica*), ils tenaient l'épée (*gladius*), parfois la lance (*hasta*). Parmi les Samnites, il est possible de distinguer, selon les particularités des armements et les méthodes de combat, le *secutor*, spécialisé dans la poursuite des rétiaires; l'oplomaque (*oplomachus*) au jeu particulier, qui était opposé traditionnellement aux Thraces; enfin, le *provocator* dont les fonctions restent obscures.

Le rétiaire est le plus célèbre des gladiateurs, bien qu'il ait été considéré au temps des Romains comme un combattant de moindre qualité. Il était armé d'un filet (d'où son nom) qu'il lançait sur son adversaire pour l'envelopper, mais aussi d'un trident, d'une épée ou d'un poignard. Ce gladiateur à l'armement léger devait son salut à sa rapidité et à sa mobilité. Il n'avait pratiquement pas d'équipement défensif : seul son brassard montait très haut sur l'épaule et le protégeait des coups portés à la tête. Ce type de brassard ne s'appelle pas *manica* mais *galerus*. Le rétiaire est traditionnellement opposé au *secutor* et au myrmillon.

Le *laquearius* est un avatar du rétiaire qui, au lieu d'un filet, possédait un lasso pour étrangler ses adversaires.

Le Thrace était armé, comme le peuple du même nom, d'un petit bouclier carré (*parma*), d'un sabre court à lame recourbée (*sica*) et d'un casque à visière. Il portait en outre des jambières montant haut et des *fasciae* couvrant les cuisses.

À la suite des victoires de César en Gaule, les combattants « gaulois » ont été à la mode. Parmi ceux-ci, le plus connu est le *murmillo* (myrmillon), du nom du poisson qui ornait son casque (le morme), traditionnellement opposé au rétiaire qui cherchait, tel un pêcheur, à l'envelopper de son filet.

Les armes du *murmillo*, faute de textes et de descriptions, ne nous sont pas connues. Le myrmillon a parfois été assimilé aux *cruppellarii* dont le corps était totalement couvert de fer, parfois avec le fantassin gaulois qui, par fierté, combattait seulement avec un petit casque et un long bouclier de bois et de peau.

Médaillon d'applique : à gauche, un rétiaire armé d'un trident et protégé par le galerus *met à mal un* secutor *coiffé d'un casque à cimier et dissimulé derrière un long* scutum *(bouclier). En arrière-plan, un arbitre surveille le duel. Détail du vase p. 74.*

Certains gladiateurs empruntaient leurs armes non à un peuple ennemi mais à un type de soldat romain. Ainsi, les *veles* (vélites) avec un javelot, les cavaliers (*equites*) qui avaient un casque à visière, une lance, un bouclier rond et un brassard et qui étaient toujours opposés entre eux, ou l'*essedarius* qui combattait du haut d'un char.

D'autres catégories restent très mystérieuses : le *dimachereus* qui, comme son nom l'indique, devait combattre avec deux coutelas; le *sagittarius* qui perçait son adversaire avec une flèche, l'*andabata*, couvert de fer et qui combattait les yeux bandés, ou le *scissor* dont on ne sait à peu près rien. Enfin, des combattants existaient sans que l'on puisse leur donner le nom de gladiateurs. Il s'agissait des bestiaires et des chasseurs (*bestiarii, venatores*, spécialistes des chasses) et des *paegniarii*, dont les armes ne pouvaient donner la mort et qui intervenaient généralement dans les combats burlesques (*ludus meridianus*) après les chasses et avant les *munera*.

ORIGINES DES GLADIATEURS

Les gladiateurs provenaient de groupes sociaux relativement variés. Un certain nombre d'entre eux étaient des condamnés à mort mis à la disposition de l'*editor* par l'autorité publique. Ces derniers selon les cas étaient immédiatement égorgés au cours d'un intermède entre les chasses et les *munera*, ou alors étaient armés et participaient au spectacle. Mais quelle que fût l'issue du combat, ils n'étaient jamais grâciés.

Les criminels condamnés aux travaux forcés pouvaient voir, eux aussi, leur peine changée en une obligation de combattre dans l'arène. Ils avaient droit alors à un entraînement et au maniement des armes afin que les combats soient plus égaux et, s'ils survivaient jusqu'à la fin de leur peine, ils étaient normalement libérés. Les esclaves pouvaient être condamnés par leurs maîtres à exercer le métier de gladiateurs. À partir d'Hadrien (76-138), il fallut cependant le consentement de l'esclave, à moins qu'une faute grave n'ait été retenue contre lui.

L'essentiel de la troupe était néanmoins constitué par des volontaires, affranchis ou ingénus (nés libres). Dans la plupart des cas, les hommes qui s'engageaient étaient attirés par la prime offerte et par le gîte et le couvert dispensés par le laniste. Plus rarement, c'était l'espoir de s'enrichir rapidement et d'acquérir la gloire qui les poussait à combattre, mais certains d'entre eux étaient fascinés par le caractère dangereux de cette vie.

Le gladiateur faisait partie de la catégorie des *infames*; il perdait ses droits civiques et on lui refusait, comme aux suicidés, une sépulture honorable. Sans être privé de ses qualités d'homme libre, il était considéré comme un esclave dont la vie et la mort dépendaient du laniste. Ces mesures très dures visaient à décourager les hommes pauvres qui auraient pu être séduits par l'*impresario* ou par ses recruteurs. Il est difficile de préciser combien de temps un engagé devait rester dans le métier. À part l'esclave qui devait attendre le bon vouloir de son maître et le condamné qui devait finir sa peine, il semble que l'engagement d'un volontaire durait cinq ans au minimum. À la fin de son temps, le gladiateur libéré recevait une épée de bois (*rudis*) symbole de son retour à la vie civile. Certains d'entre eux devenaient parfois entraîneurs dans une école ou se réengageaient pour cinq autres années.

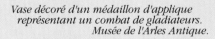

Vase décoré d'un médaillon d'applique représentant un combat de gladiateurs. Musée de l'Arles Antique.

LE CIRQUE *(n° 19)*

Depuis l'amphithéâtre, prendre la rue des Arènes (où l'on remarquera plusieurs belles demeures arlésiennes), puis la place du Forum *avec les deux colonnes déjà décrites (cf.* supra, *p. 44). Continuer par la rue du Palais, puis à gauche par le Plan de la Cour. À droite se trouve*

Élément lapidaire de forme arrondie décoré d'amours auriges. Il pourrait s'agir d'un fragment de la borne du cirque. Musée de l'Arles Antique.

la place de la République où se dresse l'obélisque du cirque. Le monument lui-même (à l'ouest de la ville, dans la presqu'île du cirque) n'est pas encore ouvert au public, car des fouilles sont en cours.

Les cirques étaient en général (en raison de leurs dimensions mêmes) installés à l'extérieur des murailles. Ils comprenaient une vaste piste (l'*area*) partagée en deux par un mur (la *spina*) décoré de sculptures et parfois des bassins avec un obélisque au centre. La *spina* comportait aussi les aménagements indispensables à la course : un système visuel (œuf ou dauphin crachant de l'eau) qui permettait au public d'évaluer facilement le nombre de tours déjà effectués. Les équipages en compétition parcouraient chacun sept fois le tour de la piste, dans le sens inverse des aiguilles d'une montre.

Des bornes (*meta prima* et *meta secunda*) marquaient l'extrémité de la *spina*; c'est à cet endroit que tous les auriges s'efforçaient de prendre le virage, à la corde. Des fragments de ce qui a pu être une borne décorée d'amours conduisant des chars, sont conservés dans le musée de l'Arles antique.

Ces grands hippodromes étaient en général très allongés, fermés d'un côté par un hémicycle (la *spendone*) en forme de fer à cheval, et de l'autre côté par une façade noble légèrement incurvée, avec des aménagements spécifiques : stalles de départ (*carceres*), porte triomphale...

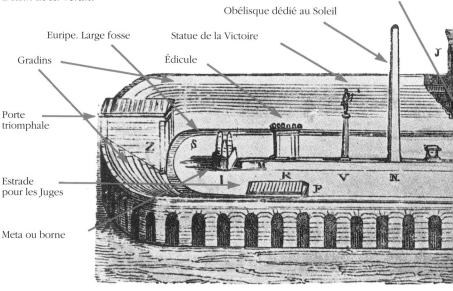

Reconstitution fantaisiste du cirque d'Arles.
Dessin de A. Véran.

Obélisque dédié à la Lune

Obélisque dédié au Soleil

Euripe. Large fosse   Statue de la Victoire

Gradins   Édicule

Porte triomphale

Estrade pour les Juges

Meta ou borne

Autour de la piste, l'anneau des gradins était séparé de l'*area* par un mur (mur de *podium*) dont la hauteur devait être suffisante pour mettre les spectateurs à l'abri des animaux : en effet des chasses se déroulaient dans le cirque, comme on le verra plus loin.

Les fouilles récentes du cirque

Le cirque romain d'Arles est connu depuis fort longtemps, puisque des éléments en place de la *spina* avaient été vus dès le xiie siècle par Gervais de Tilbury. Cependant, l'importance de ce monument ne sera reconnue véritablement qu'au cours de la période moderne, au fur et à mesure des découvertes fortuites : dégagement de l'obélisque au xviie siècle, portions de maçonnerie de la *cavea* exhumées au xviiie siècle puis au xixe siècle lors du percement du canal d'Arles à Port-de-Bouc et enfin au début du xxe siècle, lors de la construction de l'écluse.

L'identification proprement dite du monument a été effectuée entre 1909 et 1912, lorsque Jules Formigé ouvrit trois sondages au départ du virage et dans l'axe de la *spina*. Le monument fut ensuite abandonné jusqu'aux années 1970, au moment où les travaux de creusement d'un bassin et la construction d'un tronçon de l'autoroute ont fait apparaître de nouvelles alvéoles.

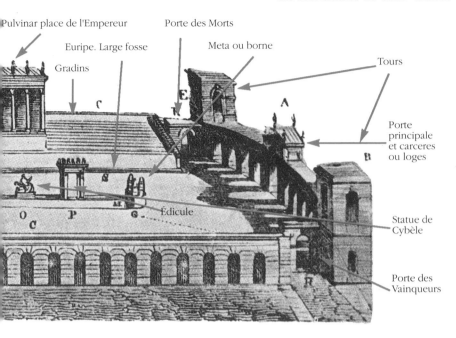

Pulvinar place de l'Empereur — Porte des Morts — Euripe. Large fosse — Meta ou borne — Gradins — Tours — Porte principale et carceres ou loges — Édicule — Statue de Cybèle — Porte des Vainqueurs

Une campagne de fouilles en 1974, puis un chantier-école de 1978 à 1980 ont fourni de nouveaux éléments d'information sur l'hippodrome. La structure générale en est bien lisible : la *cavea* est compartimentée en alvéoles de 3 m sur 6 m par des murs de refend. Ces murs reçoivent les retombées des voûtes rampantes qui supportent les gradins.

La *spina,* dont plusieurs tronçons ont été relevés, est placée en oblique par rapport à l'axe du monument, comme cela existe dans d'autres cirques connus : cette disposition permettait d'obtenir une aire de départ plus large et un resserrement du virage.

Le plan de masse du cirque d'Arles a été établi à la suite de ces recherches; l'architecte M. Hallier restitue pour l'édifice une largeur hors-tout de 336 pieds romains (101 m environ). La longueur ne peut actuellement être connue, car les *carceres,* situés au milieu du quartier de la Roquette, n'ont jamais été repérés. M. Hallier a proposé un rapport longueur-largeur de 4 1/2, ce qui correspond à une longueur voisine de 450 m.

Une fouille de plus grande ampleur que les précédentes a pu être conduite en 1984, lors des travaux précédant la construction du nouveau musée de l'Arles Antique. On a pu, pour la première fois, dégager et observer une portion importante de la piste. Celle-ci est constituée d'un cailloutis de calcaire dur posé sur une préparation d'argile très tassée qui se relève légèrement au contact du mur du *podium*. Les recharges, très nettes, montrent bien la remise au niveau qui devait être effectuée lors d'un affaissement ou d'une usure trop grande de l'*area*.

La construction a été réalisée en petit appareil de calcaire smillé, et les joints soigneusement tirés au fer (marqués à la truelle). Les élévations devaient être montées en grand appareil : ce sont ces pierres qui ont intéressé les récupérateurs de matériaux lorsque le cirque est devenu une grande carrière. Grâce aux fouilles on a pu proposer une datation pour la construction de la piste, et en particulier pour les parties basses de la *cavea*. Celles-ci semblent avoir été terminées dans les années 90-100. Le début de l'utilisation de la piste peut être situé dès les premières années du second siècle : un très beau bronze d'Antonin le Pieux daté de 149 a été retrouvé entre deux recharges de la piste.

Des courses ont dû être organisées jusqu'au milieu du vie siècle (539-550), ainsi que le suggèrent les sources littéraires (Procope), mais le monument devait avoir un aspect bien misérable, car, dès le ve siècle, des habitations ont occupé les alvéoles sous les gradins et se sont greffées en verrue le long du mur de façade.

L'OBÉLISQUE *(n° 12)*

La grande aiguille de pierre qui se trouve aujourd'hui au centre de la place de la Mairie s'élevait initialement sur la *spina*, ce long mur partageant la piste du cirque. Le monolithe a attiré l'attention très tôt et depuis sa première découverte, en 1389, il fut exhumé à plusieurs reprises à l'occasion de visites royales : en 1564 pour Charles IX, en 1592 pour le duc de Savoie, puis quelques années plus tard pour Henri IV qui envisageait de l'ériger au milieu de l'amphithéâtre dégagé de ses maisons ! C'est seulement en 1675 que le Conseil de la Ville décide de dresser l'obélisque sur un piédestal, pour embellir le nouvel hôtel de ville construit par l'architecte Jacques Peytret sur les plans de Jules Hardouin-Mansard et pour « la plus grande gloire du roi Louis XIV ».

Il fallait pour cela transporter la partie la plus grande du fût depuis le quartier du cirque jusqu'au centre-ville et récupérer la pointe, longue de 4 m, qui gisait devant la maison de Sabatier de l'Armellière (place Antonelle), où elle servait de banc. L'opération, confiée à J. Peytret, fut longue (quarante jours) et difficile. Jean Sabatier de l'Armellière a gardé dans ses mémoires la relation savoureuse et fidèle de tous les travaux entrepris.

« Peytret travailla alors incessamment pour mettre la pierre sur la terre; il fit creuser au-dessous de chacun des deux bouts et laissa de la terre au milieu; la faisant pencher après d'un côté, il soutint le bout le plus élevé par des quartiers de pierre qu'il fit glisser avec des leviers au milieu de la pierre, ôtant la terre qui la soutenait; ainsi la faisant balancer tantôt d'un côté, tantôt d'un autre avec les quartiers de pierre qui l'élevaient petit à petit. Il la mit sur le terrain et puis sur un châssis de poutres revêtu de planches de chêne, sous lesquelles il y avait des rouleaux du même bois garnis de fer par le bout. Il fit abattre après la muraille du jardin, du côté du grand chemin, et ayant entouré la pierre de plusieurs câbles qui répondaient au devant du petit bout à une grosse poulie de bronze, il attacha dans le chemin trois cabestans qui, avec tous les cordages et les poulies nécessaires, répondaient aussi à la grosse poulie.

Toute cette machine servie par 20 hommes, commença à faire mouvoir la pierre mais si lentement qu'on fut 4 jours à la tirer du jardin, et une semaine entière à la traîner au coin qui regarde la porte de la Roquette.

On commença alors à murmurer beaucoup contre les Consuls et contre ceux qui étaient les plus zélés pour cet ouvrage; on nous blâmait d'avoir cru trop légèrement Peytret et de constituer la ville inutilement à une si grande dépense.

Le sieur de Boche avançant cette entreprise par ses soins, fit cesser le murmure par son autorité.

Cependant la pierre ne put arriver devant la porte du Marché Neuf qu'en 40 jours.

Dans ce temps les Consuls qui n'ajoutaient plus tant de foi à Peytret firent savoir à Marseille et à Toulon, le dessein qu'on avait à achever de traîner cette pierre et de l'élever sur un piédestal.

Cette nouvelle fit venir à la ville un homme de Martigues nommé Pagnon qui, étant aidé d'un maître d'hache de Marseille appelé Barthélémy, entreprirent de la traîner au marché et de l'élever un mois après que le piédestal serait fait, pour la somme de 3 700 livres, et passèrent pour cela un contrat avec les Consuls et donnèrent caution bourgeoise.

L'Obélisque d'Arles. Aquarelle de G. Revoil, 1863.
Bibliothèque des Monuments historiques, Hôtel de
Croisille. (Photographie : Jean-Loup Charmet).

Peytret fut alors commis pour travailler au piédestal.

En creusant les fondations qu'on voulut poser sur le rocher, on trouva à 15 pieds de profondeur une chambre à l'antique qui servait autrefois pour des bains, dont on vit encore les fourneaux tous entiers.

Cette chambre était aussi grande en carré que le massif qu'on voulait faire, entourée de quatre grosses murailles et sur un vieux massif aussi ferme que le rocher.

On ne le creusa pas plus avant et l'on bâtit là-dessus.

Pendant que Peytret faisait travailler à cela, Pagnon faisait provision de tout ce qu'il fallait pour élever l'obélisque mais il ne pouvait pas recouvrer encore de longtemps tous les bois qui lui étaient nécessaires pour cet ouvrage.

Il supplia les Consuls d'écrire au sieur Arnoux, Intendant des vaisseaux à Toulon, pour le prier de souffrir qu'il se servit des mâts et des antènes qui étaient sur la rivière et qu'on avait fait descendre pour les bâtiments du Roy.

L'Intendant accorda aux Consuls la grâce qu'ils lui demandèrent. Alors Pagnon et Barthélémy formèrent bientôt avec le bois un château autour du piedestal; ils garnirent tout cet appareil d'un nombre infini de cordages et de poulies; ils entourèrent la pierre qu'ils avaient conduite au Marché, de divers câbles qui répondaient aux poulies les plus hautes du château; ils élargirent dans la place autour de ce château, 10 cabestans servis de 16 hommes chacun et, de cette manière, on commença à l'ébranler.

Barthélémy, monté sur le piedestal, donnait seul les ordres; comme il connut que tout était prêt de la façon qu'il le souhaitait, il donna le signal de la main et de la voix pour l'élever et, dans une demi-heure la pierre fut élevée sur le piedestal; elle n'y fut pas plus tôt qu'on tira la canon » [9].

La mise en place du grand fût le 20 mars 1676 a été suivie de l'installation de la pointe, et le 26 mars 1676 l'obélisque était enfin érigé sur son piédestal et surmonté d'un globe azuré parsemé de fleurs de lys avec un soleil doré au-dessus. Les symboles vont d'ailleurs se succéder au sommet de l'obélisque lors des changements de régime : apparaîtront successi-

L'Obélisque d'Arles dressé sur son piédestal et surmonté du globe azuré et du soleil doré. Gravure de De Poilly.

vement, en effet, le soleil, le bonnet phrygien, l'aigle (à deux reprises) puis à nouveau le soleil, enlevé définitivement en 1866. C'est ce bronze qui orne actuellement la cour d'honneur du musée Réattu. On a long-temps disputé sur la provenance du granite de l'obélisque. Certains y voyaient un matériau venu d'Egypte (Assouan), d'autres une veine européenne (Dauphiné, Esterel, Corse, Île d'Elbe...).

Salle chaude des thermes : détail de l'hypocauste.

LES AUTRES SITES ET MONUMENTS

LES THERMES DE CONSTANTIN *(n° 13)*

La cité possédait plusieurs établissements de bains. Ceux du sud situés sous l'actuelle Place de la République ne sont connus que par des sondages; en revanche, les thermes du nord, dits de Constantin, offrent encore un splendide développement architectural. Construits au Bas Empire, en bordure du Rhône, ils sont rythmés par une alternance d'assises de briques et de petits moellons de calcaire très réguliers.

Quoique ne constituant que la faible portion d'un vaste ensemble monumental compris entre le Rhône et le *forum*, la partie dégagée des

9. Fassin (E.), Lieutaud (A.). L'obélisque d'Arles, Bulletin de la société des amis du vieil Arles, 1909, p. 1-17, citation p. 9-13.

thermes offre un exemple de l'architecture nova-
trice du IVe siècle. Le *caldarium*, zone chaude des
bains, comprend une série de salles sur hypo-
caustes (planchers creux permettant la circulation de l'air chaud) qui s'articulent autour de plusieurs absides semi-circulaires. La salle du nord,
bien conservée, est couverte par une grandiose
voûte en cul-de-four; elle était éclairée par trois
grandes fenêtres en plein cintre. Baptisés par les
Arlésiens « Palais de la Trouille », du bas-latin «
Trullus », édifice circulaire voûté, les thermes
étaient considérés traditionnellement comme le
palais de l'empereur Constantin. À la fin du
Moyen Âge, le monument ne sera plus qu'une
fourrière pour les animaux errants.

LES NÉCROPOLES

Le long de chacune des grandes voies qui
aboutissaient à la cité une nécropole s'était
implantée à l'époque païenne. Cippes et tombes
à incinération (dont les urnes constituent une
belle collection au musée) voisinaient avec des sarcophages de calcaire ou de marbre. Toute la bordure sud de la ville semble faire partie
d'une immense nécropole qui se continuait sur la rive droite du Rhône
dans le quartier de Trinquetaille, à la « pointe » et le long de la route de
la Camargue. Deux de ces nécropoles devaient connaître une très
grande célébrité à l'époque chrétienne : le culte du martyr arlésien
Genest, décapité sous Dioclétien (245-313) à Trinquetaille et inhumé

Sarcophage de Marcia Romania Celsa, découvert en 1974 à Trinquetaille. Marbre, IVe siècle. Musée de l'Arles Antique.

Saint-Honorat-des-Alyscamps. La nécropole antique était un lieu de promenade fort prisé des Arlésiens. Aquarelle de Tassy, 1797. Museon Arlaten.

Cippe de Quartia Herois. Calcaire, 1ᵉʳ siècle. Musée de l'Arles Antique.

Sarcophage dit « de la chasse » découvert à Trinquetaille en 1974. Marbre, IVᵉ siècle. Musée de l'Arles Antique.

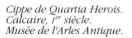

Cippe à portraits. Calcaire. Musée de l'Arles Antique.

plus tard aux Alyscamps donna lieu à l'implantation de deux *cellae* autour desquelles se développèrent deux immenses cimetières.

Aux Alyscamps (n° 15) la crypte de la basilique Saint-Genest devait recueillir jusqu'à la Révolution les plus beaux sarcophages de marbre décorés, réutilisés pour ensevelir les évêques d'Arles. À Trinquetaille, le cimetière de Saint-Genest fouillé à plusieurs reprises a montré une concentration extrême de sépultures très diverses. En janvier 1974 encore, une découverte fortuite a mis au jour trois sarcophages du deuxième quart du IVe siècle qui comptent parmi les plus belles pièces du musée de l'Arles Antique.

LES AQUEDUCS

L'alimentation de la ville en eau potable était assurée par un aqueduc de 51 km de long qui recueillait les eaux des sources sorties de la face nord des Alpilles, dans la région d'Eygalières. Une conduite – en partie souterraine – contournant tout le massif des collines, franchissait les dépressions sur plusieurs ouvrages d'art, qui existent encore dans le quartier de Barbegal, au sud de Fontvieille. La traversée des marais de la Vallée des Baux se faisait sur deux ponts-aqueducs de grande ampleur et celle de la Crau par une conduite souterraine qui se prolongeait jusqu'à un château d'eau situé près de l'amphithéâtre. Dans le vallon de Barbegal, une véritabe usine hydraulique de meunerie fournissait la farine pour Arles. Elle utilisait la force motrice fournie par l'eau de la face sud des Alpilles qu'un aqueduc de 11 km de long lui amenait.

IMPOSTE
de l'arcade -4

COUPE

IMPOSTE
de l'arcade ·7·

Relevé par l'architecte s/signe
Juin 1908 J. Formigé

Aqueducs romains à Barbegal. Aquarelle de Jules Formigé, 1908. Arcades 4 et 7. Bibliothèque des Monuments historiques, Hôtel de Croisille. (Photographie : Jean-Loup Charmet).

Détail de la mosaïque de la pièce II du Crédit agricole

Les sites
non visibles

LE CRÉDIT AGRICOLE (n° 18)

Des travaux entrepris sur un terrain apppartenant à la Caisse Régionale du Crédit Agricole en juin 1977 provoquèrent la découverte d'un sol pavé de mosaïque; cette mise au jour – un peu surprenante car on pensait être bien au-delà des murs de la ville – fut suivie par une fouille de sauvetage qui allait renouveler la connaissance de ce quartier. Habituellement considérée comme une zone marécageuse au cours de l'Antiquité, cette partie de la frange méridionale de la ville s'avéra en fait occupée dès le Ier siècle de notre ère. Un vaste dallage appartenant à un petit établissement de type artisanal (pressoir ?), une cour avec puits, un immeuble d'habitation ont été construits à cette époque.

Vers la fin du IIe siècle après J.-C., la physionomie du quartier a été profondément changée par la construction de deux maisons. Les pièces de l'une d'elles s'ouvraient au nord sur un portique à colonnes par trois seuils de pierre. La porte de la pièce ouest qui permettait initialement de communiquer directement avec le péristyle nord a été bouchée, tandis qu'une ouverture dans le mur de refend ménageait un passage avec la pièce située à l'est.

La richesse de ces maisons est attestée par la qualité des matériaux employés et par leur décoration. Ce sont les sols en mosaïque qui contribuent le plus à donner cette impression de luxe; trois pavements d'une vingtaine de mètres carrés sont ornés de motifs géométriques polychromes, tandis que le quatrième présente une scène historiée. Le motif central de cette dernière mosaïque évoque un détail de la lutte d'Hercule contre l'hydre de Lerne, au moment où le héros lève sa massue pour frapper le monstre. Celui-ci, selon une iconographie rare, est figuré avec un corps de serpent et une tête de femme coiffée de reptiles ondulants. Tout autour de cet *emblema* (motif central), des panneaux savamment agencés, sont peuplés d'oiseaux de la région : faisans, pies, canards, pigeons…

L'ensemble du site a connu un sinistre important dans la seconde moitié du

La Verrerie. Tapis central de la pièce X, représentant Aïon-Annus assis sur un trône et tenant la roue zodiacale.

IIIe siècle; les maisons détruites et incendiées ont ensuite servi de carrières pour la récupération des matériaux.

Le site fouillé a été préservé grâce à la générosité du Crédit Agricole, qui a permis également la mise en valeur des vestiges. Actuellement, ce petit musée privé n'est pas ouvert au public.

LA VERRERIE *(n° 21)*

À Trinquetaille, la découverte de riches pavements est assez fréquente et les mentions anciennes concernant ce type de décor sont nombreuses. Cette abondance est significative car le quartier de Trinquetaille était dans l'Antiquité le quartier résidentiel de la ville; les riches propriétaires avaient leurs maisons dans cette zone agréable, à l'extérieur des murs.

Sur le site de la Verrerie, l'apparition de sols de mosaïque en 1982 au cours de travaux a donc nécessité un arrêt du chantier et une fouille de sauvetage. Le caractère résidentiel de l'habitat étudié est souligné par les découvertes exhumées : tête de Minerve en marbre, statuette de bronze, objets de parure... et par les pavements, seule portion du décor domestique qui nous soit parvenu en entier. Parmi les nombreux tapis décorés, l'un est constitué par une marqueterie de marbres de couleur (*opus sectile*) dont l'*emblema* a été détruit.

Les sols de mosaïque se scindent en panneaux géométriques polychromes et en scènes à décor historié : enlèvement d'Europe pour la pièce nord-ouest, tête de Méduse entourée de cercles sécants vers le sud... Le plus spectaculaire reste pourtant le pavement de la pièce X, sans doute une salle à manger (*triclinium*) de 56 m², où une bordure géométrique bleu foncé et

Double sesterce de Trajan Dèce.
Provenant de la Verrerie.
Bronze, 249-251.
Musée de l'Arles Antique.

Mosaïque découverte sur le site du Crédit Agricole en 1977. Détails de la bande de raccord.

Les oiseaux
de la mosaïque

1 : canard, 2 : faisan, 3 : pigeon (?), 4 et 5 : perdrix. (IIe siècle ap. J.-C.).

blanche entoure un champ de neuf panneaux séparés par une épaisse tresse à trois brins.

Les plus petits panneaux montrent des amours évoquant les saisons. Les compartiments latéraux, plus grands, s'opposent deux à deux : au nord et au sud des tritons chevauchent des monstres marins tandis qu'à l'est et (vraisemblablement) à l'ouest ce sont des néréïdes qui s'agrippent là aussi à l'encolure d'un animal marin.

Le panneau central, carré, beaucoup plus grand, très soigné, est remarquable par sa composition et la rareté de la représentation : un homme jeune et imberbe, nimbé, tient dans sa main droite un anneau décoré des signes du zodiaque et dans sa main gauche un sceptre dont la hampe se termine par deux croix. Il est assis sur un trône à haut dossier, nu, avec une étoffe pourpre au drapé bien marqué entourant la cuisse et tombant à terre le long de la jambe.

L'analyse iconographique conclut à une représentation de l'image des saisons « en rapport avec la notion de Temps, Aiôn-Annus, image du Génie de l'Année, mais il occupe une place un peu exceptionnelle par son originalité iconographique » [10].

La découverte d'un autre Aiôn-Annus en 1914 dans le même quartier souligne « la faveur dont jouissait ce thème du Génie de l'Année porteur d'une valeur bénéfique et protectrice, mais aussi sans doute d'une force symbolique impériale » [11].

Le site est actuellement en cours de fouille : les pavements qui ne pourront sans doute pas être maintenus in situ *seront déposés, restaurés et certains d'entre eux présentés dans le musée de l'Arles Antique.*

RUE PIERRE BROSSOLETTE *(n° 20)*

La localisation du chantier de la rue Pierre Brossolette, à quelques dizaines de mètres de la Verrerie plaidait en faveur d'un prolongement probable du riche quartier d'habitations antiques vers le sud. Aussi, le projet de construction d'un grand immeuble a-t-il conduit à une fouille préalable du terrain. Le quartier montre une urbanisation précoce dès les premières années de notre ère, avec des murs en pierres froides posées sur un radier.

L'état II, qui est datable de la deuxième moitié du Ier siècle, est caractérisé par des pièces richement pavées en béton lissé, *opus sectile* (marqueterie de marbre), *opus signinum* (béton de tuileau avec des éclats de pierres dures et de marbre) et mosaïque. Vers le second siècle, le quartier est bouleversé par de nouvelles constructions mais l'orientation générale des murs est conservée. L'élément le plus remarquable est

Site de Brossolette : détail de l'opus sectile.

un bassin monumental bordé d'un péristyle avec sol de mosaïque; une pièce de réception pavée d'une mosaïque géométrique polychrome a été construite dans l'axe du bassin. Vers 250, de nouvelles transformations ont lieu. De très grandes pièces sont construites. La création de l'une d'elles entraîne la destruction du bassin antérieur et la réutilisation des blocs du cuvelage dans les chaînages d'angles. Cette salle est voisine d'un grand couloir (plus de 18 m de long), au sol couvert d'une mosaïque géométrique. Dans le même temps ou légèrement plus tard, les pièces de l'état IV sont recoupées par des murs de refend en briques posées sur un soubassement de pierres et moellons. Un incendie, dont les traces sont très nettes dans certains secteurs du chantier (toitures écroulées sur des solives carbonisées, couches de cendre épaisses...) vient détruire complètement le quartier à la fin du IIIe siècle. Après ce sinistre, les réoccupations sont modestes : il semble que cette zone d'habitation ait changé d'occupants, car aucune reconstruction d'ensemble n'est décelable, au moins à cet endroit. Aux Ve et VIe siècles, le site sert de carrière avant d'être recouvert par les sables alluvionnaires apportés par le Rhône.

La ville d'Arles ayant acheté le sous-sol de l'immeuble en construction, une crypte archéologique ouverte au public va être aménagée prochainement.

---

10. J.-M. Rouquette, *Revue d'Arles*, numéro 1, p. 39.
11. *Idem*, p. 92.

Le cloître canonial et le clocher de Saint-Trophime d'Arles

Les monuments médiévaux

B IEN que ce guide soit consacré avant tout aux monuments antiques d'Arles, il serait dommage que le visiteur s'en allât sans prendre le temps de voir, même brièvement, les bâtiments médiévaux : nulle part ailleurs l'influence antique dans l'art roman provençal, pour reprendre un titre célèbre de V. Lassalle, n'est aussi sensible.

Les édifices romains en élévation avec tout le prestige qui y était attaché, mais aussi la tradition classique qui baignait la Province restée le plus longtemps et le plus profondément fidèle à Rome, font que les sculpteurs et les architectes romans ont puisé, sans le copier servilement, dans le répertoire des formes qui s'offraient à leurs yeux : « [Arles] ... conserve l'incomparable prestige d'avoir été le foyer primordial de création où a été poussée sans doute le plus loin cette symbiose de l'art antique et de la vision romane qui a pris au XIIᵉ siècle l'ampleur d'une véritable renaissance » [12].

---

12. J.-M. Rouquette, *Provence Romane*, p. 265.

LA PRIMATIALE SAINT-TROPHIME *(n° 16)*

La primatiale conserve dans ses murs les fragments d'un petit appareil que l'on a pu dater de la première moitié du xıᵉ siècle, mais c'est surtout entre 1078 et 1152, date de l'installation solennelle des reliques de saint Étienne et du corps de saint Trophime, patrons de la basilique, que l'édifice tel que nous le connaissons sera construit.

Le portail va être plaqué sur la façade dans la seconde moitié du xııᵉ siècle puis, sans doute quelques années plus tard, la construction générale est achevée par l'érection de la tour carrée à la croisée du transept.

Le chœur gothique a été rajouté à la place de l'abside et des absi-

*Détails de la façade occidentale de la
Primatiale :
1 : Saint Pierre et saint Jean.
2 : Lion terrassant un homme pour le
dévorer.
3 : Les mages en route vers Bethléem.
    4 : Daniel dans la fosse aux
        lions.
        Calcaire et marbre;
        seconde moitié
            du XIIᵉ siècle.*

dioles romanes entre 1454 et 1465, grâce aux dons suscités par les miracles du bienheureux Louis Alleman.

Le porche occidental

Le thème iconographique général de ce porche a été élaboré par des clercs très cultivés, qui ont associé une image de la Vision de saint Jean à celle du Jugement dernier. Au centre du tympan, le Christ triomphant, entouré par les symboles des quatre évangélistes, domine les douze apôtres, le cortège des élus qui se dirige vers Lui et celui des damnés enchaînés et conduits par un démon. Au-dessous se trouvent les statues en pierre des saints majeurs avec aux places d'honneur les patrons de l'Église locale : saint Trophime et saint Étienne.

Le cloître

Ce bâtiment construit au XIIe siècle (galeries nord et est) et au XIVe siècle (galeries ouest et sud) était destiné à la vie régulière (vie cloîtrée) des chanoines attachés à la cathédrale : il comporte la salle capitulaire (salle du chapitre) au nord, à l'est, le dortoir (à l'étage) et le réfectoire à l'ouest. Le programme iconographique est, là aussi, très riche et très élaboré : la galerie nord est ornée par une « méditation sur la résurrection du Christ et l'exaltation du saint patron de l'Église d'Arles »; la galerie du côté est, légèrement postérieure, est consacrée à la passion du Christ, tandis que les galeries gothiques sont illustrées par la légende de saint Trophime, notamment d'épisodes du *Roman de Saint-Trophime*, poème provençal du XIIIe siècle.

SAINT-HONORAT-DES-ALYSCAMPS *(n° 15)*

Le vocable de saint Honorat n'apparaît qu'au xi siècle lorsque l'archevêque Raimbaud de Reillane fait don de l'église Saint-Genest aux moines de Saint-Victor de Marseille.*

On connaît peu de choses sur l'église paléochrétienne si ce n'est qu'elle fut édifiée pour contenir les reliques du martyr arlésien Genest décapité à Trinquetaille, reliques ramenées sur la rive gauche du Rhône dès le ive siècle. Les fouilles de Fernand Benoit, encore visibles, ont montré qu'une nécropole s'est développée dès cette date *ad sanctos*, c'est-à-dire le plus près possible de la tombe du saint, afin de bénéficier de sa protection au Jour du Jugement Dernier.

L'église Saint-Honorat, telle que nous la voyons aujourd'hui, a été reconstruite au xiie siècle, en reprenant, semble-t-il, un édifice du xie siècle. En raison de difficultés financières, la construction n'a pu être menée à terme et seuls furent élevés le porche occidental, l'amorce des supports de la nef jamais couverte, et surtout la dernière travée, terminée et close par un mur provisoire, le transept, le chevet polygonal où une confession permettait d'exposer les reliques.

La tour lanterne, érigée sur la croisée du transept au début du xiiie siècle, abritait le fanal qui veillait sur le cimetière et le signalait aux voyageurs.

Enfin, on ne saurait trop conseiller à l'amateur d'art médiéval de ne pas quitter Arles et le pays d'Arles sans visiter les monuments qui entourent la ville : Saint-Gilles-du-Gard, Montmajour, Sainte-Croix aux si merveilleuses proportions, Saint-Gabriel, Saint-Paul-de-Mausole qui tire son nom des « Antiques » proches, sont autant de lieux dont l'émouvante beauté touchera profondément le visiteur.

Abbaye de Montmajour. Vue prise de l'est. Aquarelle de G. Revoil, 1846. Bibliothèque des Monuments historiques, Hôtel de Croisille. (Photographie : Jean-Loup Charmet).

Glossaire

ARC DE DÉCHARGE : arc inclus dans un mur plein pour soulager les parties sous-jacentes.

APPAREIL : maçonnerie formée d'éléments posés et non jetés : chaque élément est taillé pour occuper une place déterminée. Ces éléments peuvent être petits (petit appareil), moyens (moyen appareil) ou grands (grand appareil).

ASSISE : rang d'éléments de construction de même hauteur posés de niveau.

ATTIQUE : couronnement horizontal placé au-dessus d'un entablement formé d'un corps rectangulaire plus large que haut, d'une corniche et d'une base.

AURIGE : conducteur de char.

BLOCAGE : maçonnerie de matériaux de différentes grosseurs jetés pêle-mêle dans un bain de mortier.

BÛCHAGE : action d'abattre les saillies d'une pierre.

CARDO : dans une agglomération romaine, voie nord-sud. Le *cardo maximus* est le principal axe nord-sud, au centre de la ville.

CARCERES : stalles dans lesquelles pénétraient les attelages au départ des courses dans les cirques.

CASTRUM : camp militaire.

CAVEA : ensemble des gradins d'un théâtre ou d'un amphithéâtre, où prennent place les spectateurs; le terme s'applique soit à la masse de l'hémicycle, substructions comprises, soit à sa seule surface.

CHAÎNAGE OU CHAÎNE : membre horizontal ou vertical formé de plusieurs assises ou d'une superposition d'éléments construits avec un matériau différent ou avec des éléments plus gros que le reste de la maçonnerie : chaîne horizontale, chaîne d'angle.

CHEMISE : mur enveloppant à faible distance la base d'une tour.

CIPPE À PORTRAIT : petit monument funéraire signalant l'emplacement de la tombe; certains d'entre eux étaient décorés par le portrait du défunt.

CLAVEAU : élément d'une plate-bande, d'un arc ou d'une voûte taillé en forme de coin.

CONFESSION : crypte où se trouve le tombeau d'un martyr. Le sens primitif du mot confession est : témoignage de sa foi apporté par un chrétien aux dépens de sa vie.

COURTINE : dans un rempart, pan de muraille compris entre deux tours, entre deux bastions.

CRYPTOPORTIQUE : galerie en sous-sol servant d'assise à une construction supérieure. Quand le cryptoportique n'est que partiellement enterré, il est généralement ouvert.

CUNEUS : division verticale en forme de coin de la *cavea* délimitée par des escaliers rayonnants.

DECUMANUS : dans une agglomération romaine, voie est-ouest. Le *decumanus maximus* est l'axe principal dont l'intersection avec le *cardo maximus* marque le centre de la ville.

DÉDUIRE : dans ce sens, fonder : déduire une colonie.

ÉBRASEMENT : disposition convergente des côtés d'une embrasure; l'ébrasement est dit intérieur ou extérieur.

EMBLEMA : dans une mosaïque, tableau inséré au milieu de la composition et portant le décor le plus soigné.

ENTABLEMENT : partie supérieure d'un édifice qui s'élève au-dessus des colonnes et comprend l'architrave, la frise et la corniche.

ÉVERGÉTISME : attitude des gouvernements et des élites qui consistait à donner à la collectivité les édifices et les équipements dont elle avait besoin, ou à distribuer des largesses au peuple.

EXÈDRE (nom féminin) **:** construction de forme semi-circulaire.

EXTRADOS : face supérieure d'un arc, d'une voûte, d'un linteau, d'une plate-bande.

EXTRA-MUROS : tout ce qui se trouve à l'extérieur des murs d'enceinte d'une ville.

FORUM : place située près du croisement du *decumanus maximus* et du *cardo maximus* souvent entourée de portiques et centre de la vie politique, religieuse, judiciaire et économique.

FRONS SCAENAE : façade faisant face à la *cavea* et qui sert de fond au *proscaenium* (scène au sens moderne) d'un théâtre.

GLACIS : face d'une partie de mur dont l'inclinaison est inférieure à 30°.

GRADUS DECURIONUM : espace réservé aux édiles et aux personnalités municipales et se trouvant entre l'orchestre et les gradins inférieurs de la *cavea* d'un théâtre.

MUR GOUTTEREAU : mur extérieur longitudinal d'un bâtiment situé sous les gouttières ou les chéneaux.

OBÉLISQUE : monument en forme de pyramide habituellement terminé par une pointe appelée pyramidion.

ODÉON : édifice à gradins, sur un plan demi-circulaire ou ovale clos de murs et couvert d'un toit, destiné à l'audition de la musique, des conférences, etc.

ORCHESTRA : espace plan, demi-circulaire, compris entre la scène et les premiers rangs de sièges d'un théâtre. L'*orchestra* est limité par le *podium* et le *pulpitum*.

PARASCAENIA : pièces adjacentes aux petits côtés de la scène d'un théâtre et y donnant accès par une large porte.

PENDAGE : inclinaison d'une couche sédimentaire.

PÉRISTYLE : colonnade à plusieurs retours, sur le périmètre complet ou presque d'un bâtiment, d'une cour, d'une place.

PODIUM : mur très épais, soubassement de la *cavea* constituant une plate-forme sur laquelle sont établis les premiers rangs des spectateurs.

POMOERIUM : limite sacrée du territoire de la ville de Rome. Il marquait la limite du pouvoir des magistrats, le périmètre dans lequel les augures pouvaient prendre les *auspicia urbana* ...

PRAECINCTIO : (précinction) - dans un édifice théâtral, galerie découverte séparant, sur toute l'extension de la *cavea*, deux ensembles de gradins. Une précinction constitue une sorte de palier concentrique.

PROTOHISTORIQUE : qui concerne les événements antérieurs à l'apparition de l'écriture et contemporains de la première métallurgie (du 3e millénaire au 1er millénaire avant J.-C.).

PULPITUM : Mur peu élevé séparant l'orchestre de la scène proprement dite; ce mur peut être décoré de statues…

RADIER : plate-forme de maçonnerie constituant le soubassement d'une construction.

« ROMAIN » : terme désignant un pensionnaire de l'École française de Rome au XIXe siècle.

SMILLÉ : pierre travaillée avec un marteau appelé smille. Un moellon smillé est un moellon équarri.

SOMMIER : pierre taillée disposée à plat sur un pilier ou un piédroit et recevant sur un lit en coupe (c'est-à-dire oblique) la charge d'une architrave, d'une plate-bande ou d'un arc.

SYSTÈME VIAIRE : organisation de la voirie.

TAPIS (d'une mosaïque) **:** partie centrale d'une mosaïque, encadrée par des bordures.

Bibliographie sommaire

AMY (R.). — Les cryptoportiques d'Arles. *In* Les cryptoportiques dans l'architecture romaine. Colloque international du Centre national de la recherche scientifique. École française de Rome, 19-23 avril 1972. Paris, édit. du Centre national de la recherche scientifique, 1973 (impr. en Italie). 440 p., 6 dépl., ill. p. 275 à 291. [Colloques internationaux du Centre national de la recherche scientifique : Sciences humaines, 545].

BENOIT (F.). — Département des Bouches-du-Rhône, Arles et Trinquetaille. *Forma orbis romani*, carte archéologique de la Gaule romaine dressée sous la direction de M. Adrien Blanchet, Fasc. 5. Paris, E. Leroux, 1936, p. 123-195.

BENOIT (F.). — L'usine de meunerie hydraulique de Barbegal. *Revue archéologique*, sixième série, T. XV. janvier-juin 1940. Paris, E. Leroux, 1940, p. 19 à 80.

BENOIT (F.). — Fouilles aux Aliscamps. « *Areae* » cimétériales et sarcophages de l'Ecole d'Arles. *Provence historique*, II, Fasc. 10, octobre-décembre 1952, p. 115-132.

BENOIT (F.). — Sarcophages paléochrétiens d'Arles et de Marseille. Paris, Centre national de la recherche scientifique, 1954. 88 p., XXIX pl. [*Gallia*. supplément V].

BENOIT (F.). — Le développement de la colonie d'Arles et la centuriation de la Crau. *Académie des Inscriptions et Belles-Lettres, comptes rendus des séances de l'année 1964*, séance du 12 juin. Paris, Librairie C. Klincksieck, 441 p., p. 156 à 170.

CONGÈS (G.), BERTUCCHI (G.), ROTH-CONGÈS (A.) et *alii*. — L'histoire d'Arles romaine précisée par les fouilles archéologiques.

Archeologia n° 142, mai 1980, p. 10 à 23.

CONSTANS (L.-A.). — Arles. Paris, impr. Carlos Courmont; société d'édition « Les Belles Lettres », 1928 (5 juin 1929). 12 pl. hors texte, 20 plans. [Le monde romain. Collection publiée sous le patronage de l'Association Guillaume Budé].

FÉVRIER (P.-A.). — Le développement urbain en Provence de l'époque romaine à la fin du XIVe siècle, archéologie et histoire urbaine. Paris, E. de Boccard, 1964, 236 p. ill. [Thèse. Lettres. Aix. 1964].

FORMIGÉ (J.). — L'amphithéâtre d'Arles. *Revue archéologique*, T. II, juillet-décembre 1964, p. 21 à 41 et p. 113 à 169; T. I, janvier-juin 1965, p. 1 à 46.

GAUTHIER (M.). — Informations archéologiques. Circonscriptions de Provence-Alpes-Côte-d'Azur-Bouches-du-Rhône-Arles. *Gallia*, t. 44, Fasc. 2, 1986, p. 388-402.

GRAN-AYMERICH (E. et J.). — Fernand Benoit. *Archeologia* n° 233, mars 1988, p. 71 à 77.

LAFAYE (G.). — *Gladiator*. Dictionnaire des Antiquités grecques et romaines d'après les textes et les monuments sous la direction de MM. Ch. Daremberg et Edm. Saglio, T. II. Paris, Librairie Hachette, 1896, p. 1563-1599.

LANDES (CH.) et *alii*. — Les gladiateurs. Catalogue de l'exposition conçue et réalisée par le musée archéologique de Lattes, 26 mai-4 juillet 1987; Toulouse, 13 juillet-début septembre 1987. Lattes, édition Imago. Musée archéologique de Lattes, 1987, 191 p. ill.

[MÉLANGES BENOIT (FERNAND)].
— Hommage à Fernand Benoit ...
Bordiguera : Institut international
d'études ligures, 1972. 5 volumes.
360 + 386 + 316 + 330 + 229 p., ill.
en noir et en couleur. Numéro spé-
cial *Revue d'études ligures*, 33ᵉ-
37ᵉ années, 1967-1971. Bibliogr. des
travaux de Fernand Benoit, p. 41 à
87. Index.

NOBLE LALAUZIÈRE (J.-F. de). —
Abrégé chronologique de l'histoire
d'Arles contenant les événements
arrivés pendant qu'elle a été tour à
tour royaume et république, ensuite
réunie à la souveraineté des comtés
de Provence et des rois de France,
ouvrage enrichi de planches et du
recueil complet des inscriptions des
monuments antiques. Arles, impr. G.
Mesnier, 1808, 52O p., XXVI pl.

ROUQUETTE (J.-M.). — Trois
nouveaux sarcophages chrétiens à
Trinquetaille (Arles). *Académie des
Inscriptions et Belles-Lettres, Comptes
rendus des séances de l'année 1974*,
janvier-mars, séance du 10 mai. Paris,
éd. Klincksieck, 1974, 668 p., p. 256-
279.

ROUQUETTE (J.-M.). — Arles.
Livret guide de l'excursion C3.
Provence Languedoc méditerranéen,
sites protohistoriques et gallo-
romains. *IXe Congrès de l'Union
internationale des sciences préhisto-
riques et protohistoriques*. Nice, Parc
Valrose de l'Université de Nice, 13-
18 septembre 1976, p. 101 à 121.

SINTÈS (CL.) et *alii*. — Du nouveau sur l'Arles antique. Catalogue
d'exposition. *Revue d'Arles*, n° 1,
1987, 130 p.

VILLE (G.). — La gladiature en
Occident des origines à la mort de
Domitien. *Bibliothèque des Écoles
Françaises d'Athènes et de Rome*,
fasc. 245. Rome, École française,
1981.

Renseignements utiles

DIRECTION RÉGIONALE DES ANTIQUITÉS HISTORIQUES PROVENCE ALPES CÔTE-D'AZUR
21, 23 boulevard du Roi René
13617 AIX-EN-PROVENCE
Tél. 42.27.98.40.

CONSERVATION DES MUSÉES D'ARLES
Musée Réattu
10, rue du Grand Prieuré
13200 ARLES
Tél. 90.49.37.58.

SITES, MONUMENTS, MUSÉES :
(Horaires variables suivant saisons : se renseigner).
Alyscamps
13200 ARLES
Tél. 90.96.83.17
Arènes
13200 ARLES
Tél. 90.98.93.37
Cloître
Entrée place de la République
13200 ARLES
Tél. 90.49.36.36 (poste 3353)
Musée d'Art Chrétien
rue Balze
13200 ARLES
Tél. 90.49.36.36 (poste 3282)
Musée d'Art Païen
Place de la République
13200 ARLES
Tél. 90.49.36.36 (poste 3358)
Théâtre Antique
13200 ARLES
Tél. 90.96.93.30

Museon Arlaten
29, rue de la République
13200 ARLES
Tél. 90.96.08.23

ÉCOLE NATIONALE DE LA PHOTOGRAPHIE

RENCONTRES INTERNATIONALES DE LA PHOTOGRAPHIE
16, rue des Arènes
13200 ARLES
Tél. 90.96.76.06.

OFFICE DU TOURISME :
Accueil
Esplanade Charles de Gaulle
13200 ARLES
Tél. 90.96.29.35
Administration, service guide
35, place de la République
13200 ARLES
Tél. 90.93.49.11

MÉDIATHÈQUE
Hôpital Van Gogh
Rue du Président Wilson
13200 ARLES
La médiathèque regroupe les services municipaux suivants :
Artothèque
Bibliothèque (adultes et enfants)-Discothèque
Salles d'expositions
Service des Archives
Vidéothèque

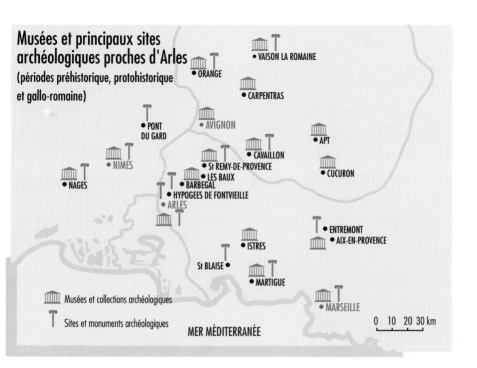

Musées et principaux sites archéologiques proches d'Arles
(périodes préhistorique, protohistorique et gallo-romaine)

- VAISON LA ROMAINE
- ORANGE
- CARPENTRAS
- PONT DU GARD
- AVIGNON
- APT
- CAVAILLON
- NIMES
- St REMY-DE-PROVENCE
- LES BAUX
- BARBEGAL
- HYPOGEES DE FONTVIEILLE
- NAGES
- CUCURON
- ARLES
- ENTREMONT
- AIX-EN-PROVENCE
- ISTRES
- St BLAISE
- MARTIGUE
- MARSEILLE

Musées et collections archéologiques

Sites et monuments archéologiques

MER MÉDITERRANÉE

0 10 20 30 km

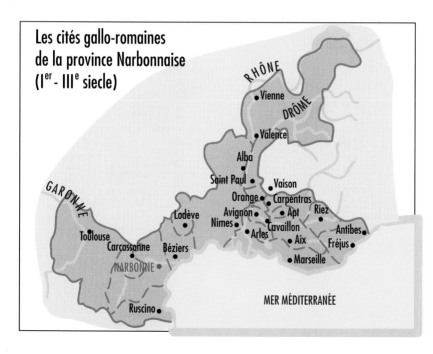

Les cités gallo-romaines de la province Narbonnaise
(Ier - IIIe siecle)

RHÔNE

Vienne

DRÔME

Valence

Alba

Saint Paul

Vaison

Orange

Carpentras

Apt

Riez

GARONNE

Lodève

Avignon

Nimes

Cavaillon

Antibes

Toulouse

Arles

Aix

Fréjus

Carcassonne

Béziers

Marseille

NARBONNE

Ruscino

MER MÉDITERRANÉE

Guides archéologiques
de la France

À PARAÎTRE :

GLANUM.
BESANÇON.

* Coédition Ministère de la Culture, Office du Tourisme de Vaison.

** Coédition Ministère de la Culture, Patrimoine Rhône-Alpes avec le concours de la ville de Vienne.

Achevé d'imprimer
sur les presses
de l'Imprimerie nationale
en août 1989

Roland Fiszel étant directeur

IMPRIMERIE NATIONALE - 8952433 T